萧乾 主编

新编文史笔记丛书

第三辑

31

豫章史摭

石凌鹤题

©江西省文史研究馆 编

●鄢鹤龄 主编

中華書局

目录

苏区轶闻

风云陈迹

宦海浮沉

名流逸事

词章文采

艺苑雅趣

杏林春满

民俗探奇

江山胜景

文物琐谈

乡味特产

栏外拾遗

序

萧　乾

读书界向来对野史有所偏爱。野史大多是信手拈来的历史片断，且往往出自亲历者之手。文直事核，不虚美，不隐恶，而文笔潇洒自如，意味隽永，自然朴实，篇幅不长；可以摊开来仔细咀嚼，也可供茶余酒后、行旅倥偬中，随手浏览。

鲁迅在《华盖集》中，曾几次对野史表示过好感。在《忽然想到》一文中写道："历史上都写着中国的灵魂，指示着将来的命运，只因为涂饰太厚，废话太多，所以很不容易察出底细来。正如通过密叶投射在莓苔上面的月光，只看见点点碎影。但如看野史和杂记,可更容易了然了,因为他们究竟不必太摆史官的架子。"又在同书《这个与那个》一文中说:"野史和杂说自然也免不了有讹传,挟恩怨,但看往事却可以较分明,因为它究竟不像正史那样地装腔作势。"

全国文史研究馆所编的《新编文史笔记》丛书,内容也属野史杂说的范畴。我们希望这些以亲闻、亲见、亲历为主的轶事掌故、琐闻杂记,写人、事而摒除误会曲解,述历史而符合真实面目。

作为一种短隽有味,文字清奇而又雅俗共赏的文学体裁,笔记在中国具有悠久的传统。它始自魏晋,盛行于宋代。南朝刘义庆的《世说新语》,北宋沈括的《梦溪笔谈》,南宋陆游的《老学庵笔记》,明朝张岱的《陶庵梦忆》,清朝纪昀的《阅微草堂笔记》以及20世纪30年代初丰子恺的《缘缘堂随笔》,都是文学史上的奇葩。然而,近年来笔记乏人问津。因此,我们出这一套书,也包含着挽回颓势之意。

全国三十二所文史研究馆拥有雄厚的稿源,两千多位馆员和各馆联系的社会人士,都是丛书的撰稿人。他们都是文史界的耆宿,见多识广,阅历丰富:有的反对过帝制,有的在"五四"运动中扛过大旗,他们目睹过军阀的横行霸道,也经历过艰苦卓绝的八年抗战。这些历尽沧桑的饱学之士,他们的所见所闻,都是弥足珍贵的史料。

本丛书分辑出版，分别由各地文史研究馆编辑，内容亦以本乡本土为主。因此，各册势必具有浓厚的地方色彩。

本着笔记固有的传统，所收各文题材不嫌庞杂。举凡与文史有关的政治、经济、军事、文化、社会等方面，或记闻见杂事，或叙往昔交游，或忆社会百态，均在搜罗之列。时间跨度则自清末以迄1949年为止。这正是中华民族从闭关自守到走向世界，从落后羸弱到奋发图强，是天翻地覆、风起云涌的大半个世纪。其间，发生过多少可歌可泣的事迹，涌现过多少杰出的人物。以这一时间跨度为背景题材写出的笔记作品，必然是内容最为丰厚的。

在选稿标准上，我们坚持史料一定要真，内容要新；既要防止以讹传讹，也力避炒冷饭。在写法上务求短小精悍、生动活泼。每篇以千字为度，希望借此在文风方面，提倡一下简约。在版式上，则想做到既利于阅读，又便于携带。

恳切希望文史界方家及广大读者，不吝赐正。

毛泽东严格教弟

凌家传

1930年，毛泽东的二弟毛泽覃在东固地区任中共区委书记。这是土地革命的战争年代，敌人对苏区进行严格的经济封锁和军事“围剿”，生活十分艰苦。但当时苏区是实行配给制度，无论总司令还是普通一兵，都是每人每天一斤四两大米和五分钱的菜金，官兵一致，同甘共苦。有一次东固游击队在战斗中缴获了一些战利品，按照红军“一切缴获要归公”的纪律，这批战利品上交给了东固苏维埃政府。毛泽覃便从其中要了几包香烟以接待客人，又拿缴获的新式冲锋枪试射了一梭子弹。不久，毛泽东率领主力红军到东固休整。有人便向毛泽东告了状，认为毛泽覃是“多吃多占，浪费子弹”，违犯了红军的纪律。毛泽东历来对家人管教甚严，听说弟弟有违纪行为，非常生气，立即找其谈话，严加训斥，拍案而起。毛泽覃作了自我批评，气氛才有了缓和。最后毛泽东问毛泽覃还有什么意见？毛泽覃苦着脸说：“同志，这里是革命阵营，不是毛氏宗祠，批评我接受，家法希望今后不要用了。”毛泽东忍住了笑，指着毛泽覃的鼻子说：“你是一个部门的负责干部，还这样淘气。”

毛泽东风趣取肴名

迟宽平

兴国人待客，有一道名菜，叫“四星望月”，就是一笼粉蒸，配上四盘菜。提起这个响亮的名字，还有一番来历呢！

1929 年 4 月的一天，红四军党代表毛泽东风尘仆仆地来到兴国城，受到兴国党组织领导人陈奇涵、胡灿、萧芳全等人的欢迎，热情地安排他在文昌宫住下。

毛泽东在这里起草《兴国土地法》，审订了兴国革命委员会的工作大纲，举办土地革命干部训练班。他经常工作到深夜，大家都敬佩不已。

当时正是荒月，没菜吃，厨房要给毛委员开小灶。毛泽东诚恳地说："现在群众都饿着肚子闹春耕，我们有饭吃就蛮好了！"他同其他同志一样，桌上摆一小碟盐水煮雪豆，端起粗海碗吃饭。一小碟豆子，寥寥可数，吃一粒豆子咽一大口饭。

让毛委员吃这样差的饭菜，县领导心里很过意不去。一天，胡灿对陈奇涵说："老陈，得弄点好菜招待一下毛委员哇！"这时，正好萧芳全进来，手里提着一尾大草鱼，笑嘻嘻地说："有了，有了，刚好在河边捉到一条鱼，今天请毛委员吃米粉鱼。"陈、胡一看，顿时眉开眼笑，进厨房里忙开了。

兴国的米粉鱼，做法是很有讲究的。鱼要新鲜，切成薄片，和上米粉上蒸，蒸时，先在蒸笼里垫上几片青菜叶，再铺上一层芋子，放在锅里蒸熟后，再铺上生鱼片，浇上一层辣椒粉和芝麻糊，又搁在锅里稍蒸片刻即熟，把蒸笼盖一掀，热气腾腾，一股浓烈的香辣味扑鼻而来，食之则鱼肉鲜嫩香辣，使你不由得口舌生津，食欲大振。

傍晚，毛委员刚从崇圣祠给干部训练班的学员讲完课出来，胡灿早已春风满面地迎上去，兴冲冲地说："毛委员，今天请你解决一个问题！""么子问题？"毛泽东随着胡灿走进文昌宫，只见一张八仙桌上摆着一只竹蒸笼，周围还摆了四只瓷盘，分别盛着花生米、笋炒肉、雪豆和炒鸡蛋，不禁皱了一下眉头。陈奇涵急忙解释："毛委员，今天萧芳全同志捉到一条大草鱼，我们就请你来打个牙祭。"萧芳全憨厚地望着毛委员，怕他会拒绝。毛泽东听说是他们自己到河边捉来的鱼，高兴地点了点头说："好，我晓得你们兴国老表会唱山歌，今天再看一下你们会不会做菜。"

大家围桌而坐，胡灿把盖子一揭，香气四溢。毛委员夹了一块鱼放进嘴里尝了尝，又鲜又香又辣，连连称赞。大家都兴致勃勃地吃起来。毛泽东忽然停筷问道："这道菜叫么子名字呀？"胡灿接口说："没名字，就叫米粉鱼。"陈奇涵笑着说："在广东，什么菜都有个漂亮的名字，如'白玉飘带'、'龙虎斗'，好听得很。今天这道米粉鱼，毛委员你看叫个什么名字好呢？"毛泽东兴趣盎然地说："是要有个名字才好，孔子不是说'名正言顺'嘛！你们看，一个大蒸笼，四个小盘子，盘子围着蒸笼，就像星星围着月亮，我看，就叫它'四星望月'好不好？""好！好！好！"大家高兴地叫起好来。

兴国的粉蒸，主料可以是鱼，也可以是肉，还可以一层鱼、一层肉，花样繁多，鲜嫩香辣，是一道传统的名菜。

彭德怀睡肉砧

袁立庭

1930年4月,彭德怀率领红五军第三、四纵队进入宜春县境，经绕市来到楠木乡的模汤村宿营。模汤虽然村庄不大,却有一条小街,有几个简陋的店铺,经营日用杂货。部队就驻在模汤街周围的村子里。司令部扎在街上翟坤成的店里。为了让首长休息好,彭德怀的警卫员在戏台上的后台找了一间房子,打扫得干干净净,又借来门板，搁了个床铺。彭德怀看过一眼没说什么,忙他的军务去了。深夜,警卫员见首长还没回房睡觉,急忙四处寻找,终于在翟坤成门口的肉砧上找到了,彭德怀正躺在肉砧上蒙头大睡。急促的脚步声把他惊醒过来。警卫员心痛地说:“首长！你怎么睡在这里,快回房里睡吧。”彭德怀边笑边说:“我在这里睡得挺好，那个床就让给重病号睡吧！”警卫员愣愣地站在肉砧旁不愿离开。“这是命令,快去！”彭德怀紧绷着脸,刚才的笑容一丝也找不到了。警卫员深知首长的脾气,只好撅着嘴,迈着沉重的脚步离去。他边走边喃喃地念着:“又是重病号。”

陈毅拒不独食肉

雷　文

1933年3月上旬，苏区江西省军区司令员陈毅，经东安赴宜黄视察工作。是日，细雨霏霏，大雾蒙蒙，春寒料峭，山路泥泞。然而，陈毅和他的警卫员，沿途听到红军取得黄陂大捷的消息后，却心潮澎湃，头冒热气，更加快了脚步。

他们抵达黄陂时，中共宜黄县委常委正在开会，部署扩大红军和支前工作，准备对付国民党军的报复。陈毅听了汇报之后，表扬了县委的政治远见和主动精神。因厨房燃料不多，常委们暂停开会，与机关干部上山打柴。陈毅亦要上山，大家不肯，说首长奔波一天，甚为辛苦。陈毅风趣地说："'众人拾柴火焰高'嘛，为何不要我的积极性？"大家被他说得哈哈大笑。

上山之前，县委书记黄日升叮嘱伙食管理员，上街买些猪肉与大蒜，晚上招待首长。

吃夜饭时，陈毅见机关干部皆吃白菜，而自己餐桌上却摆好大蒜炒猪肉，便询问黄日升道："同志们吃白菜，我为何吃猪肉？"黄日升解释道："首长辛苦，炒点好菜，是想让您吃得饱一些。"陈毅严肃而和蔼地批评道："这就是你的不对了！须知我们共产党的官只有为人民服务的

义务，而没有享受特殊待遇的权利。”

陈毅将大蒜炒肉端到机关干部餐桌上，爽朗地说：“我们大家来分享这碗好菜，权当庆祝黄陂战役的胜利！”

东固平民银行的纸币

王东林

东固是江西吉安县的一个小圩镇。1927 年，吉安县原警备司令朱世贵叛变革命，吉安的革命同志遂潜入东固，建立了白色包围中的一小块革命根据地。

为了打破反动派的经济封锁，活跃苏区商品流通，中共东固区委组织了“东固平民银行”，由黄启绶任行长。银行初创，建立信用是至关重要的事，于是千方百计筹集硬币作为银圆基金，同时发行纸币用于流通，共筹集银圆三千余元，印发纸币六千余元。1929 年春，增至银圆八千余元，发行纸币二万元。由于银行硬币充足，兑换方便，信誉倍增，深受群众信任。连外地来的生意人也都认为东固的纸币可靠，为了携带方便，干脆将银圆兑成纸币跑买卖。

平民银行起初发行的纸币有一元、五角、二百文、一百文四种面额，系用白色磅纸油印而成。纸币正面下方左右角分别盖有红色的“平民

银行之章”和“黄启绶之章”，均为篆体方形木刻印。纸币的字迹花纹，形状格式谈不上美观，但在东固一带却很吃得开。1929 年春，红四军在东固与红二、四团会师，毛委员亲临银行指导工作，业务范围日渐扩大，纸币流通扩及兴国、泰和、吉水、永丰一大片红色区域。1930 年秋，红军给银行拨来两台打印机，银行的纸币全部改为石印。彩印的新纸币美观大方，有的农民竟爱不释手，舍不得拿出来花。当地老百姓为了给亲人送贺礼，为儿子订婚封“彩礼”，还特地带硬币跑上几十里，甚至上百里路，来东固兑换新纸币呢！

赤色邮政邮票发行小史

詹云鹏

从 1930 年 3 月第一个赤色邮政管理机构——赣西南赤色邮政总局在江西富田（吉安县属）成立起，到 1932 年 5 月中央苏区统一邮政前，各革命根据地先后发行了印有“赤色邮政”或“赤色邮票”字样的邮票。这类邮票均为石印无齿票，主图多为五角星或绘有镰刀铁锤的红旗。现已发现的有以下几种：

赣西南赤色邮政邮票

赣西南邮政总局于1930年5月第一次发行了“赤色邮政”邮票，这是苏区最早发行的邮票。这种邮票纸型是“方型薄红”，刷色是“盖以红朱”，图案是“四周及中央刻有星形，上有赤色邮政及一分等字样”。可惜这种邮票仅见于国民党邮政档案记载，尚未发现实物，除一分面值外，还有哪几种面值，有待继续发掘历史资料和实物。

1930年10月第二次发行了“赣西南赤色邮政”邮票。已发现的有三枚：一分蓝色，二分黄绿，八分蓝色。图案均为“8”字形花框，内直列“赣西南赤色邮政”七字。

江西东北邮政邮票

江西东北革命委员会于1930年8月1日在弋阳成立以后，即设立了江西东北邮务总局。9月，总局随红军进入乐平，公布了邮章，发行了赤色邮票。现发现的有一分、二分两种，主图上下都有花卉，票面横书“江西东北邮政”六字。

1931年下半年，赣东北恢复邮政后，第二次发行了邮票，面值二分，红色。图案与第一次发行的相同，但票面没有省名。

闽西交通总局赤色邮政邮票

闽西苏维埃政府于1930年4月成立了闽

西交通总局，10 月颁布《赤色邮政暂行章程》，同时发行了邮票，有二片棕色，四片浅棕色，四片绿色三种。主图为五角星，星中嵌以镰刀和铁锤。

闽西邮票都以“片”为面值单位，“片”是闽西方言，铜元几枚就称为几片。

湘赣边省赤色邮票

中华赤色邮政湘赣边省总局于 1931 年 9 月发行了“湘赣边省赤色邮票”。票面为横长方形，图案是五角星内嵌铁锤镰刀，上写“湘赣边省”，下写“赤色邮票”；有一分灰蓝、二分绿色和八分蓝色三种。

江西赤色邮政邮票

赣西南总局于 1931 年 5 月改名为江西省邮务总局后，年底迁至兴国县。江西省苏维埃政府于年底颁布了《赤色邮政暂行章程》，同时发行了江西赤色邮政邮票。现仅发现福建省医学院李国方教授珍藏的一分票一枚，图案与赣西南邮票同，“8”字形花框中间直列“江西赤色邮政”六字。

湘鄂西赤色邮政邮票

湘鄂西赤色邮务总局于 1932 年初发行了两种邮票：一种是四分红色的，票面有“湘鄂西赤色邮政”七字，主图是五角星和铁锤镰刀。另一种是一角的,红色印于黄色纸上,图案是地球上红旗一面,中有五角星、铁锤镰刀,票面有"湘鄂西省赤色邮务总局"十字。

到 1932 年 5 月发行"苏维埃邮票"后,上述赤色邮票就停止使用了。

黄懋材跋涉绘舆图

李 强

黄懋材(1843—1890),字不刁,号豪伯,别号柏庭,上高县斗门村人。他天赋过人,同治五年(1866)以品学兼优取为贡生,就读于豫章书院。当科举时,人咸习八股,他独潜心"经世之学",不蹈时人蹊径,不落古人窠臼,致力于考究历代地志沿革和外夷列传,尤精数理。光绪元年(1875),江西学政许庚身奏请朝廷保荐黄懋材进同文馆及天津、上海等处机器局学习外文,见习机械学科知识。时英人侵占独吉岭后,有扩侵西藏之意,清廷为保卫边疆,查访国内科技人才，拟察看形势，绘制舆图。军机大臣得知黄楙材学术异群，即命江西巡抚刘秉璋召黄楙材进京，由总理各国事务衙门考核推荐与四川总督丁宝桢调用。黄抵川后，遵清廷旨意，积极做好准备工作。清廷以黄四品顶戴出境换二品顶戴挂衔为使臣，并组织以高安武举章鸿钧、长沙聂振声、慈溪裘祖荫为随从及厨役一行六人，于光绪六年(1880)七月初七由四川成都起程，翻越大象岭、大雪山，跨过大渡河、泸定桥，行至巴塘为土人所阻，改道滇南，经野人寨、火焰山，行走二百天，于翌年二月进入中缅交界地蛮允。在缅月余，黄楙材详尽了解缅甸风俗民情、气候物产及其被英国蚕食的前因后果。三月二十七日乘船离缅去印，又用半年时间，对英属之五印度进行了考察。十月初动身返回，过孟加拉湾，经新加坡、西贡，各停留半月，至十一月乘船出海口，过七洲洋遇上狂风，僵卧五昼夜昏迷不醒，漂泊半月始到香港，光绪八年(1882)正月抵达广州。历时二年，行程五万，足迹遍及今缅甸、印度、孟加拉、新加坡、越南等国。所到之处，苦心擘画，认真进行测量，绘制了《五印度全图》一册、《西域回部图》一册、《四川至西藏程途》一册、《云南至缅甸程途》一册。并著述有《西游日记》、《印度札记》、《西徼水道》、《游历刍言》等书。这些图说于山川道里形势、历史沿革、风土人情考证极为详明，订正了前人对西南边陲诸水系的错误述说。他向清廷提供的大量资料在国内历史上是

罕见的，而如此的出国考察和绘制舆图也是属于少有的壮举。可是朝廷对他的箴言忠谏并未采纳，且将黄远置于云南(平彝、弥勒)任知县。黄以国事日衰，内讧外侮，壮志难伸，即借“本学术经济，不乐为外吏”为词，自请调离。清政府授以会典馆协修。光绪十六年(1890)病逝于上海。

光绪十二年(1886)，翰林院编修江标见到黄懋材著述和图册，认为“叙记确而不支，考证博而能核”，是“讲边事者不可少之书”。连同研究天文九数之书《得一斋外集》予以刊刻行世。当时治学者以索得为幸。世变靡常，几经战乱，而今流传于世者亦不可见。中华人民共和国诞生后，有关部门从档案馆找寻出懋材所绘舆图，为国防建设事业提供了重要资料。

黄懋材不仅精通数理、天文、测绘之术，诗亦雄健，尚存《印度杂兴》七律数首，不能尽录，聊摘数句以作结。诗云：“重涉昆明三藏路，遍游天竺百王城。我来不为求经律，万里舆图聚米成。”

李有棻“马前告示”

李锡正

清光绪年间，萍乡李有棻任武昌知府，在所属州县进行保甲抽查，因怕骚扰百姓，曾出过一张告示。这告示既非红头榜文，贴于衙前府后；又非“门板”布告，张于四乡要隘；而是随官所之，公诸于马前，故名马前告示。其文曰：

抽查保甲，慎选贤员。
不食民饭，不费民钱。
左右随从，严束无权。
轻骑驰往，悬示马前。
清操自励，谕尔乡贤。

李还出过一张“禁止重利滚剥”的告示。内云：“照得各乡穷民甚多，每遇青黄不接之际，必向富户借贷。而充裕之家，为富不仁。即于贫户万不得已之中，格外重利滚剥。借钱则以小易大，借谷则高抬时价。数月之间，利钱倍加。似此剥削，穷者愈见其苦，富者更加其富。此等积习若不严禁，何以安穷苦而挽颓风？”

在当年的封建社会里，李有棻这种作为是颇为难能可贵的！

钟鼓楼上义旗升

丁道模

1911 年 10 月 10 日武昌首义后，先父丁立中(号笏堂)，受当时领导者孙武的指示，潜回家乡南昌，策动党人、新军起义，以扩大、巩固武昌起义成果。为避人耳目，过家门而不入。与周兆

麟等匿居筷子巷罗少师大屋内，并以此为联络通讯据点。

10月23日，九江起义胜利，南昌革命志士群情激昂。此时革命秘密活动进展极为顺利，南昌起义准备基本酝酿成熟。

10月28日(即农历九月七日)，先父等革命党人，在工兵队召开骨干秘密会议，商讨起义具体计划。决定于10月30日(即农历重阳节日)晚12点，点火为号，举行起义。推定骑兵营排长蔡森为爬城队长，又挑选勇敢、精壮且忠于革命的熊天觉等组建爬城队，攻占南昌城楼，打开城门，迎接城外起义部队。派员与军界方先亮、冯嗣鸿接洽，发动新军起义。派员与巡抚卫队中的党人联系，夺缴衙门守卫联珠炮炮闩及军装库锁匙。推定李伯年率骑兵一部进城占领军装库。周兆麟与警方联系。吴宗慈与新闻界联系。规定夜间行动以白布袖章作记号。约定抚台衙门官厅及皇殿内两处为举火地点，于制高点钟鼓楼插上义旗。整个起义准备工作进行得有条不紊。

起义前三日，先父突然潜回石头街寓所，对全家老小晓以大义，并作了就义安排。当晚将自己的发辫剪去，继而把我叔叔的发辫也剪掉。叮嘱家人备足一些食品，闭门不出。纵使有人冒名叫门也不要开，以防不测。起义期间应高度警惕，免遭灭门之灾。鼓励家人坚定胜利信心，走革命道路。嘱毕立即返回。

重阳节日，夜幕降临，志士们按预定计划，

到达指定地点，焦急地等待信号火起。深夜12点，准时火起，城门内外，立即行动。先父率领部分志士，攻占南昌当年制高点——钟鼓楼。他身先士卒，把革命义旗插上了楼顶。巡抚衙门的达官显贵闻风丧胆，抱头鼠窜而逃。

孙中山贻饼萧炳章

萧都庆　萧荫帆

先父萧炳章号云帆，江西万安人，清末秀才。早年留学日本，追随孙中山先生奔走革命，加入同盟会，在中山先生身边工作多年，曾任秘书及大本营参议等职，并奉先生指派，出席国民党第一次全国代表大会。

先父才思敏捷，喜诗词，善书法，温文儒雅，颇得中山先生器重。当时一些应酬诗文，诸如寿序、寿屏、祭文、挽联等常嘱他代作。父亲回忆说，他在广州大元帅府工作期间，从司后街到帅府后楼房有一道天桥，他正是通过这道天桥经常直接进入先生的办公室住所(粤秀楼)，不必事前禀报。

一年中秋，中山先生叫先父去谈工作，父亲将一幅写好的寿屏带去给先生审阅。先生拿出半个豆沙月饼对他说："你喜欢吃豆沙饼，这半个是留给你的。"父亲对这事铭感至深，尔后几十年中，他常对家人说："先生日理万机，他自己爱吃豆沙月饼，竟念着我也爱吃，足见先生对部下体察入微啊！"

李烈钧与箬溪读书楼

黎　宁

20世纪20年代末，阎、冯合作倒蒋失败之后，李烈钧将军也被打入另册，投闲置散。这时，他顶着一个军事委员会委员的空衔，回到故乡武宁，先在县城盖了一栋不中不西的崇雅楼。由于建筑简陋，居不称心。后来路过箬溪，富商周裕斋优礼接待，腾出豪华别墅，供他同眷属随行人员等往来居留。将军住了几次以后，人地渐熟，不时漫步市郊，徜徉山水，爱上了市南里许的俯江楼。这里原是曲池张姓的祖遗胜地，前临修江，后枕蟠岭，小丘中峙，风景清幽。远远望去，密密麻麻的树林，常年碧绿。将军对此十分欣赏，便买下了这座小山，并得到周裕斋和其他老友的资助，建起一座小楼房，定名为"李烈钧读书楼"。由曾任国民政府行政院长的名书法家谭延闿亲书匾额，悬于门首。字长约六十厘米，朱红色。大门两侧挂一幅黄底红字的对联，系由箬市药商彭幼钱雕刻而成。联语是李将军自己撰书的，文曰："短褐单衣卧云表，千山万壑入怀

来。”此联寓意深长，耐人寻味。

此楼建成早期，装饰雅致，紧靠大门口是一道黄漆长廊，凭栏闲眺，远有南山诸峰，近有修江环绕，中间还夹着大片农田。炊烟笑语，尽在眼前。距楼数十步有大樟树一株，上悬一牌，曰“大树斋”，用东汉“大树将军”冯异的典故。其它还有“闲闲轩”、“钓鱼台”胜境。满山树株，全挂上了号码牌，以防宵小盗伐。

离山不远处有一村，名午桥畈，恰与唐代贤相裴度之别墅同名。将军在此闲居时，不少诗朋旧友，盘桓雅集。诸多题咏中，曾有“果然风景午桥庄”之句，既为历史崇贤，又为斯楼添美。

抗日战争中，此楼亦同罹浩劫，毁于敌手。

记李烈钧晚年二三事

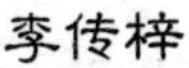
李传梓

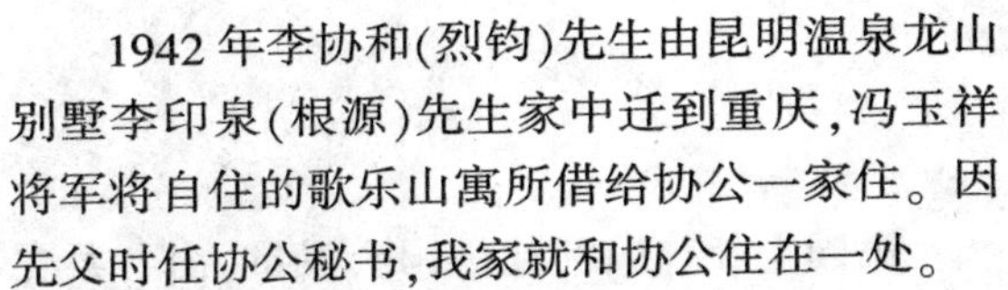
1942 年李协和(烈钧)先生由昆明温泉龙山别墅李印泉(根源)先生家中迁到重庆，冯玉祥将军将自住的歌乐山寓所借给协公一家住。因先父时任协公秘书，我家就和协公住在一处。

协公这时患多种疾病，走路困难，他每天起身很早，躺在一张藤椅上，脚下踩根粗棍来回滚动，藉此活动筋骨。

跟随协公多年的余副官和厨师、保姆、司机

等都尊称协公为“总长”。因早年协公曾任孙中山先生大元帅府的参谋总长，所以习惯这样称呼。独先父称协公为“先生”。协公很高兴地说：“当年我们都喊孙总理为先生的。”

协公工书法,登门求书的不少,即使有病也不便谢绝,因此所有对联条幅都由先父代书。我少年时喜模仿名人签字,有的几可乱真,因此上下款由我代笔,然后请华夫人用印。客人明知不是协公真迹,却也乐意地接受了。

每逢春节,协公必给小字辈一份压岁钱。我和赣熊、赣驹、赣骅、赣鹤、赣骝兄妹一样分得一份。记得有一年不是得红纸包,而是用大信封套好,上面写“鹏程万里直上青云”八个大字,字虽大小不匀,却是协公真迹。协公喜藏书,颜其斋曰“崇雅楼”。有的善本书的扉页上,留有协公亲书“吾嗣葆之”等字。

江西“猪仔议员”产生的由来

张　杰

民国七年(1918)选举国会议员,由各县先选出代表集中到全省几个地区选举。当时我在栗江高等小学三年级读书。萍乡县按选民人数分配上栗区选出代表三名。竞选者为栗江高等小学校长文睿明、庶务张翼升、教师欧阳宝斋。

选票由县发给各乡,落在各乡的绅士手中。通过竞选者的活动,这些选票分别集中到了三名竞选者之手,都达到了当选的票数。他们安排自己亲信的学生写选票。张翼升是我三叔,我和张国庶、张国宾写他的选票,在每张选票上用毛笔正楷写张翼升三字。当时我们曾说"翼"字笔画多,难写。为文睿明写选票的学生却说:"难道'睿'字的笔画少么?容易么?"为欧阳宝斋写选票的说得更起劲:"你们只写三个字,而且'文'字、'升'字笔画都少,我们要写四个字,而且每个字的笔画都很多。"欧阳宝斋繁体笔画确实多。我们费了很大的劲,才把一大捆一大捆的选票写完。我们都是十多岁的小学生,却包写了全区公民的选票,而公民们还不知道,真是滑稽可耻的选举!选票要集中送到萍乡县开票计票,公布当选代表,并通知代表如期集中吉安。结果文睿明、张翼升、欧阳宝斋三位代表都到了吉安,选举了国会议员,各得了一百余元。这次当选的国会议员后来选举曹锟当总统,又各得了五千元。宜其为国人讥为"猪仔议员"也。

冯玉祥自述抱负

张履彬

1931年8月,李世璋任主编的"中国国民党

临时行动委员会"机关报《行动日报》被蒋介石查封，邓演达被捕，李世璋等遭通缉，李被迫秘密出走至平津。"九一八"事变时，李正在北平，被邀请到山西汾阳与冯玉祥将军会晤。当时冯玉祥组织了一个"革命同志会"，性质与"中国国民党临时行动委员会"相近。冯意欲与邓演达商洽合作反蒋抗日，故邀李世璋前去商谈。后因邓被害，邓、冯南北合作局面没有形成。

当时冯玉祥对李世璋的来访十分高兴，推心置腹，无话不谈。自述青年时家境贫寒，看到亲友百姓食不充饥，衣不蔽体，生活在水深火热之中，心中总想有一个好办法来救救这些人。后听基督教的宣传，认为基督教普爱众生，救人助人，于是加入了教会。随着年龄的增长，认识的进步，意识到宗教不能解决人民的根本困难，况且宗教后面有帝国主义操纵。几经求索，了解到孙中山的三民主义，是反帝反封建、救国救民的好主义，就决心加入国民党，为国民革命奔走呼号，率兵卫国。孙先生去世后，蒋介石把持大政，独裁专制，使人民生活越来越困苦，国家越来越弱。日本入侵，蒋又不真心抗日。自知纵有大志，无从伸展，只有发动全国民众，抗日救国，才能使中国人民走上幸福康庄的大道。从这坦诚的表白中，我们看到了一个不断舍弃旧我的爱国将领的情怀。

冯、李的这次会晤，为两人今后的革命道路奠定了基础。

“危欲山头捋虎须”之谢远涵

周红兵

谢远涵，江西兴国人，光绪翰林，工诗词书法，是清末民初的著名人物，被誉为检举邮传部尚书陈碧贪污筑铁路巨款案的铁面御史。他在1922年被孙中山广州护法政府和黎元洪北洋军阀政府分别任命为江西省长。解放前夕拒绝国民党要他去香港之劝，以自身名望在赣州掩护革命地下工作者，稳定人心，迎接解放。

明代海瑞曾在谢远涵家乡江西兴国县做过知县，卓有政绩，人们特在县城建海公祠纪念他。祠里有嘉庆时翰林萧朗峰所题上联“狂思海上医龙病”，一直未有下联赓对。多少年后才由谢远涵对出下联“危欲山头捋虎须”。可见其非凡胆识和刚直气质。辛亥革命爆发后，谢远涵以“怀新道转回，意惬理无违”诗句，肯定辛亥革命的意义，表达其必胜的信念。不久，他由谢良牧介绍加入了孙中山领导的中华革命党。民国五年(1916)，他写了《挽蔡锷联》：“鲁连重义，不帝嬴秦，蹈东海余波，毋惭国士；诸葛用兵，首图巴蜀，睹西川遗垒，独叹奇才。”可谓是其思想态度的又一表明。

民国十三年(1924)，谢远涵任国民革命军第四集团军总司令部秘书长。他书撰的《挽孙中山联》:“两语平生服膺,孔曰大同,耶曰博爱;三杰并时鼎立,印有甘地,俄有列宁。”再次留下了其政治思想的印迹。此后,他辞官不做,寓居上海。

抗战胜利后,他息影于赣州、兴国寓所,过着淡泊恬静的闲居生活,那时省内外特别是香港、澳门、广州慕名前来请他题墨的颇多。他乐于允求,不计酬劳。他的书法高古潇洒,源二王之本,法欧虞之功,用笔峻拔方润,结体开朗爽健,给人以美的享受。

庐江道人熊十力

孙自诚

熊十力(1885—1968)在推翻满清王朝的革命活动中,留下了一个“庐江道人”的雅号。中国大陆出版的新《辞海》,台湾出版的《大词典》,英国出版的《大英百科全书》等许多辞书,只介绍熊十力在哲学上著有《新唯识论》和《原儒》等的成就,对其反对满清王朝的历史,只用“参加同盟会”一句带过。

清光绪二十八年(1902),熊十力年十七岁,怀着忧国忧民之志,与黄冈何自新、圻水王汉同游江汉,联络有识之士,密谋反清。为了从内部攻破堡垒,他投清军武昌凯字营三十一标当兵,很快参加了地方革命团体黄冈“军学界讲习社”、湖北“日知会”和孙中山创立的“同盟会”。在此期间,他鼓励王汉谋刺清朝练兵大臣铁良于彰德火车站,谋刺未成,王汉壮烈牺牲。他誓死要推翻清廷为王汉报仇。

光绪三十二年(1906)十月,萍乡、浏阳、醴陵爆发起义,孙中山派胡英、朱子奇、梁中汉到武昌策动响应。熊十力主张刺杀清兵统制张彪,带领部队前去支援。事泄,张彪下令搜捕革命党人,张瑛、刘静庵等九人被捕。张彪见熊十力未被捕获,便悬赏通缉,熊十力乃改名换装,角巾野服,自号“庐江道人”,出没于赣北之德安、建昌(今永修)之间,逃脱了这一劫难。他发现德安山清水秀,土地肥沃,遂举家从湖北黄冈迁到德安落籍务农。

辛亥武昌起义成功,熊十力任湖北军政府参谋。后因袁世凯称帝,感到革命无望,乃辞去军职,到德安家中潜心研究学问,写出了《子贞心书》这部著作,由蔡元培作序。

谁能想到,后来在北京大学讲《新唯识论》和《周易》的鼎鼎大名的熊十力教授,乃是当年谋刺清廷军界要人张彪未遂,而化装成道徒,自号“庐江道人”的革命激进分子。

刘和珍拒梳日本发型

李珍一

1919年到1923年，我和刘和珍烈士同在江西省立第一女子师范学校读书。女师校长金振声是日本留学生。他规定全校学生一律梳日本发型。刘和珍气愤地说："我们是中国人，为什么要梳日本发型？只有亡国奴才梳日本发型！"她把自己的头发剪短，改梳西装头，同学们群起响应，改梳其他发型。面对同学们的抗议，金振声毫无办法，最后改发型之事，只好不了了之。

程孝芬断指励民众

何大进

当"五四"运动的消息传到南昌时，南昌各界民众群情激昂，纷纷起来声援。南昌妇女界也开始行动起来。江西女子师范学校程孝芬等同学准备发起一个抵制日货、提倡国货的运动，但遭到了校长金振声的阻挠。

程孝芬回到家里，其弟正在看一份"五四"运动宣传品，他一见姐姐回来，忙问："姐姐，为什么说山东、青岛关系着中国的命运？为什么不要买日本人的东西？”程孝芬立即画了张青岛、山东形势图，对弟弟简略地讲述了日本帝国主义侵略中国的野心和“五四”运动的经过，并说：“全国同胞要开展抵制日货、提倡国货运动，从经济上打击日本的侵略。”

这时，一些邻居也凑过来听他们姐弟的谈论。突然，邻居郑斗垣的日本籍老婆从程手中夺去地图，将其撕碎，横蛮至极。在中国的土地上，日本小妇人还敢这么凶横，这使程孝芬怒不可遏。

当晚，她就回到学校，邀集同学，组织女子救国团。在集会上，她痛斥日本的侵略行径和学校当局对爱国行动的压制，情词愤激，热血沸腾，一边撕下自己的白上衣，取出一把利刀切断左手中指指头，血书“提倡国货，用日货就是冷血动物”几个大字，写完后，猝然昏倒，不省人事。经同学救醒后，她拒绝包扎，继续血书“誓绝仇货！”她的好友李淑贞当场也悲愤至口吐鲜血。

校长金振声闻讯赶来，见此悲壮情景，感慨万分。他吩咐同学护理好程孝芬，并且说：“中国有诸生如此爱国，国可不亡！”

第二天，程孝芬断指血书的消息不胫而走，江西各界为之震动，各种爱国组织纷纷成立，江西的“五四”爱国运动出现了一个新的高潮。

“万宝山事件”中的外交官张维城

张剑青

先父张维城(1898—1941),上海县七宝镇人,抗战时在重庆病逝。曾告诉我们兄弟,他在三十多岁任驻朝鲜总领事时,与日寇暴力作斗争,不辱使命的一件事。

1931年“九一八”事变前夕,紧接“万宝山事件”之后,曾发生过一件纯由日本军国主义者策划挑起的“朝鲜排华惨案”。

7月2日,日本警察在长春杀伤中国农民多人,反捏造消息,电告朝鲜各报馆,谎称“万宝山韩农被华人杀害,中国东北当局准备驱逐朝鲜侨民”等等,借此挑起排华风潮。一周间,旅韩华侨一百零九人被杀,一百六十余人受伤,华侨商店多数被抢劫、捣毁。消息传出,举世震惊。当时,中国驻朝鲜总领事张维城,严词致函日韩当局,提出应尽力防范事态扩大。7月4日,他又约见韩方外事课长和殖民当局日方政务总监,进行紧急交涉,强烈要求当局立即弹压非法排华暴乱。同时,电示中国驻韩各地领事馆全力保护华侨。仅汉城总领事馆就收容难胞逾千人。他还电请张学良将军派出镇海号军舰前往仁川，宣慰和接迎华侨回安东(今丹东)，并请“中华商会”负责护送。日韩当局为欺骗舆论，派外事课长假惺惺地送来“救济金”以表示“慰问”。张维城坚决不收，并提出强烈抗议，要求惩凶、赔款、道歉。

由于日本殖民统治者的排华风潮，引起举世瞩目，影响他侵略东北计划的进行，日韩当局才不得不出面干预。历时半月，排华风潮始平息。此后，张维城又协助中国驻日公使汪荣宝写成《朝鲜排华案调查报告》，报中国外交部，于8月27日公布，《民国日报》于8月28日发表了与日韩交涉的有关文件，使这次排华真相大白于天下。

郑洞国纳粮及其他

曾新民

已去世的全国政协副主席郑洞国先生，解放前曾任国民党东北保安副总司令等职，湖南石门县磨市乡人。我于1939到1942年间任石门县长，对其人其事，颇有所闻。当我到任之时，正田赋改征实物之翌年，因人民负担加重，颇有困难，尤以大户观望，更觉掣肘。郑先生是大户之一，据了解上年他家未完颗粒，本年已到征收旺季，仍无动静，征收人员，格于通例，亦不敢过问。当时我颇感为难，如任其敷衍下去，粮食征收将受影响；如严令催收，又怕引起枝节。忖度再三，他没有至亲在家，认为决非郑先生本人之意。于是我很客气地写了一封信给他，说明军糈孔急，请大力倡导。说实在的，当时确抱有试试看的意思。因为在国民党时期，一个人做了大官，亲戚朋友都沾光，都成了不纳粮、不当兵的特权人物，何况本人。可是我很快就得到郑先生的回信，而且措词恳切，说明纳粮是应尽义务，已另通知管家立即交纳。果然不出几天，管家就来交粮了，前后两年，一次交清，全县公粮在郑先生的影响下，很快就完成了任务。这在当时确是不多见的！

郑先生黄埔军校一期毕业，但在第一期同学录中，没有他的名字。原因是他报考黄埔时用了另外一个名。他任团长时，还有一个同姓同名的团长，他便改为现名。据说郑先生出生的那天晚上，他母亲梦见山后一个山洞里，出来一条大蟒，因名“洞国”。

郑先生温文儒雅，有儒将风度，辽沈战役中，他认清形势，率部起义，投向人民，在解放事业中作出了贡献。

陈庆云与江西第一保育院

涂自强

“七七”事变后，抗日战争全面爆发。周恩来提出抢救战时受难儿童，邓颖超、李德全等一百八十四人联名发起，筹备成立了“中国战时儿童保育会”，宋美龄被选为理事长。全国各省市及香港、南洋等地相继成立了二十多个分会，并先后建立了五十三所战时儿童保育院，收容了三万多名受难儿童。江西分会于 1938 年 4 月成立，推选理事七十五名。江西战时儿童第一保育院随之诞生，初聘熊芷为院长，因院址迁移，熊无法兼任，遂改聘南昌葆灵女中教师兼总务主任陈庆云女士担任院长。

陈庆云，江西临川人，出身工人家庭，自幼家贫，靠教会的帮助，求学于南昌葆灵女中。毕业后，先后至南京金陵女子神学院和济南齐鲁大学深造，学成回葆灵女中任教，任保育院院长时年已三十八岁。

1939 年，她带领第一批保育生艰难跋涉，从南昌来到偏僻的永新县台上村，在四个破旧的祠堂、庙宇中安顿下来，战胜了意想不到的困难，度过了含辛茹苦的岁月，先后收容和养育了二千余名难童，坚持到抗战胜利，直到 1946 年才迁回南昌。

保育院的经费，名义上是由总会按收养儿童名单拨给，但由于战争，交通不便，经费往往无着。陈庆云只能靠自己奔走呼吁，四处募捐。在保育院内，实行勤工俭学，半工半读，养鸡鸭、种菜、喂猪、缝纫、自做豆腐、制粉笔、印练习簿。师生员工每天一饭一粥，维持最低的生活水平。学生们劳动之后，到水塘里洗脚，穿上自制的木屐，然后上楼睡觉。

陈庆云极为重视培养人才。在保育院大门口，贴了一副对联："保国家元气，育天下英才。"院内儿童分幼儿班和小学(一至六年级)。小学毕业，成绩好的可保送附近中学或师范或卫校学习，这是陈庆云多次交涉的结果。学生读书也非常艰苦，步行往还，没有课本，课余借同学的书读，而成绩却都优秀，这才能取得免费的资格。

陈庆云为培养儿童奉献了她一生最美好的年华，也是她一生中最美好的业绩，值得后人永久纪念。1980年，她在南昌外甥女家中无疾而终，享年八十。

1990年，当年的院童胡毛仔先生从台湾回南昌探亲，拜谒了陈庆云院长之墓，提议以保育院的名义为陈院长重新修缮坟墓，得到在南昌的众院友响应。1991年9月新墓落成，墓碑上刻着："中国战时儿童保育会江西第一保育院院长陈庆云女士之墓"。桃李无言，下自成蹊，陈庆云当之无愧！

廖承志在狱中

万　定口述　黎　苏记录整理

1942年1月至5月，我在江西泰和县马家洲集中营担任总务组长。集中营设在马家洲松山村，是国民党中统特务的秘密监狱，对外叫“青年留训所”。所长彭刚夫。

记得有一天晚上，我在睡梦中忽被捶桌声和吼叫声惊醒，披衣出门一看，原来是彭刚夫在“审讯办公室”审讯一个“犯人”，他的名字叫廖承志。

廖承志的头发很长，蓬松散乱地遮住了面孔，看不清“庐山真面”。他衣衫褴褛，手铐脚镣，坐在一条矮板凳上巍然不动，两旁站着持枪的看守，室内充满着阴森的气氛。彭刚夫凶神恶煞般地坐在审讯台上训斥着：“你们中共中央的国共合作宣言第一条写着‘孙中山先生的三民主义为中国今日之必需，愿为其彻底的实现而奋斗’，你为什么不参加实现三民主义的国民党呢？”

回答只有三个字：“你不懂！”

彭刚夫气得吼叫起来，说了一些什么社会进步的根本原因是人类求生存，不是阶级斗争

之类的“道理”，威胁说：“难道你不想求生存？你想死吗？”

回答的是两句话：“你更不懂，你没有问我的资格！”

彭刚夫气得面红耳赤，恼羞成怒，又是一阵拍案捶桌的吼叫，两旁持枪人员摇头叹息，而“犯人”却镇定自若。审讯在无可奈何的情势下不了了之。

天亮之后，我乘“犯人”吃早饭的机会，漫步来到单人狱室的铁门口，想看看昨晚受审的“犯人”的面貌。只见他坐在一堆零乱的稻草上，左手端着饭碗，右手在饭碗里挑出一粒粒小沙子。一碗米饭中，挑出不少的沙石。我很奇怪，便到犯人食堂去查看，见饭桶里也有不少沙石，立即把炊事员找来斥责。炊事员也是“犯人”，他惊恐地说：“组长，是彭所长叫我们不要淘干净的。”我将信将疑地询问彭，彭毫不掩饰地说：“难道你担心他们消化不了吗？”

廖承志赠画漆裕元

汤光瑢

1948年秋，江西著名进步人士漆裕元和我在宜春一起搞地下工作。我经常晚上去他家里看报或读文件。有天晚上，我们分析了国内革命的大好形势，感到异常兴奋，同时也估计到在这个落后闭塞白色恐怖严重的小山城，我们随时有被特务袭击的危险，必须提高警惕，作好应变准备。漆略事沉默之后，把我引进内室，从床底下拖出一个塞满破烂的大脚篮，在里面抽出一捆报纸，小心翼翼地一层一层地打开，最后抽出一幅宣纸小立轴水墨画卷，长约二市尺，宽约一市尺半。他一边递给我看，一边解释道："这是廖承志送给我的几幅画中最珍贵的一幅。"

我接过来定神细看，画面是一位气宇轩昂而又略带憔悴神色的青年，背倚着一株劲松，双手交叉在胸前，仰面凝视着前边的小山峰，脚下围绕一圈乱草。图的左上角题有民族英雄文天祥的诗句："人生自古谁无死，留取丹心照汗青。"在昏暗的灯光下虽看不大真切，但画的主题和题材我都有所领会，这幅画是廖承志和漆裕元于20世纪40年代初期同时被囚禁于马家洲集中营时，廖承志秘密赠送给漆的。画中的青年是廖承志的自画像，劲松象征着他的节操，仰视山峰应该是象征他的信仰，引用文天祥诗中的名句是自励。廖的画法师承乃母何香凝女士，笔墨自然。漆裕元在艰难动荡的时代能冒风险保存这幅画，可见他是非常珍视和廖共同度过的那段"风雨如晦"的岁月的！

廖、漆二君都已作古，不知此画尚存于人世否？

"4·29"武汉空战大捷补记

喻 松

1938年4月29日,日本重型轰炸机二十余架,在众多战斗机群的掩护下袭击武汉。我空军战斗机队会同苏联空军志愿机队升空迎击,经过约三十分钟的激烈战斗,击落敌机二十一架。这次空战大捷,是抗日时期所取得的一次辉煌的胜利。

那时,蒋经国先生和我同工作于"江西省地方政治讲习院"。那天午饭后,蒋先生邀我同去励志社看望苏联空军志愿机队的一位老同学。据告,这位同学正在机场值勤,于是我们赶赴机场。待到达时,他已束装待发,仅仅和蒋先生讲了几句话,即率领七架战斗机直飞武汉,我们只好折回励志社。

蒋先生与苏联空军志愿人员多半熟悉,相聚甚欢,有说有笑。他兴致勃勃地对我说:"就在这里吃过晚饭回去。"话音才落,外边人声鼎沸,说飞武汉的战斗机全部返航了。于是大家蜂拥出门去看。在机场刚话别的那位同学,一见蒋先生,就兴冲冲地和他拥抱起来,并连续大声说:"打得痛快,打得痛快!只见一个火球接一个火球往下滚。"这几句话,乃懂俄语的人译给我听的。

就餐时,人人喜形于色,无比兴奋。苏联空军参战人员,绘声绘色地谈了空战情况。真可惜,我一点也听不懂。稍后,从蒋先生的谈话中才得知,这次空战,几乎达到了每分钟击落一架敌机的战绩。

我们这次晚餐,既是祝捷会,又是联欢会,气氛十分热烈兴奋。在苏联空军志愿人员的要求下,经国先生跳了一段高加索舞,我也唱了《大刀进行曲》。追忆往事,历历如昨!

飞 虎 队

邹笃钦

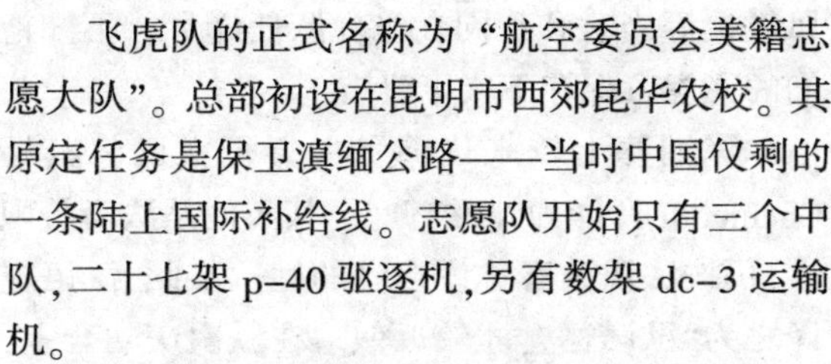

飞虎队的正式名称为“航空委员会美籍志愿大队”。总部初设在昆明市西郊昆华农校。其原定任务是保卫滇缅公路——当时中国仅剩的一条陆上国际补给线。志愿队开始只有三个中队,二十七架 p–40 驱逐机,另有数架 dc–3 运输机。

1941 年珍珠港事件第二天,即 12 月 9 日,驻越南河内日军派遣轰炸机九架,在其零式战斗机的掩护下,侵入云南,直逼省会昆明。驻在昆明巫家坝基地的美籍志愿队驱逐机当即升空向南拦截,在蒙自一带上空一举击落敌轰炸机三架、战斗机二架，伤数架，剩余日机狼狈逃窜。美机全师返回，首建奇功。后日机又多次进袭保山、大理等滇缅路沿线要冲，都遭到志愿军的毁灭性打击。这条国际交通线得以保持畅通。

那年的圣诞晚会上，宋美龄宣布，飞行员每击落日机一架，即奖予美金五百元。从此，志愿队作战就更加勇猛如虎了。我曾见过一架 p–40 战斗机身上竟有红色太阳标记九个，说明它已击落过日机九架，其后不知它又添了几个“太阳”。美籍志愿军获得了“飞虎队”这一形象化的称号。美国著名画家狄尼斯特为飞虎队设计了一个队徽：一只黄斑猛虎展开白色双翅在蓝天飞翔。还制成金属飞虎纹章发给志愿大队的官兵和译员们佩带。我当时也是译员，我的那枚飞虎章已在“文革”中被抄走。今北京大学许渊冲教授、清华大学吴琼教授和江西师范大学万兆凤教授等当时和我同在飞虎队任译员，不知他们的飞虎章保存下来了没有。

陈纳德上校来华前，中方行文已将其姓 Chennault 音译为“陈纳德”。其实他是法裔美国人，仍按法语读音称说自己的姓。准此，汉语应译之为“歇诺德”，才较近似。在一次庆功会上，上校发言到慷慨激昂处，拔出佩剑，当众一挥，誓言要与日敌周旋到底，直到最后的胜利。会后，我们年轻译员们抓住这一刹那的形象，开玩笑说：上校在“许脑袋”(歇诺德的谐音)。

1942 年春，缅甸沦陷，驻缅英国皇家空军有的仓惶逃至昆明。飞虎队的小伙子们在总部门厅上竟贴出海报，谑称皇家空军是“逃得快”(即将英文 Royal Air Force 改为 Run Away Fast，因为两者的首字母同是 R、A、F)。这样的玩笑可开得不小！

美国正式参战后，飞虎队迅速扩充，几经更易番号，最后编定为美国第十四航空队。以陈纳德为少将司令，拥有轰炸机、驱逐机、侦察机、运输机等数百架，活跃在第二次世界大战的中国战场上。

在解放战争中，陈纳德航空队又曾为国民党打内战运兵运械。

一张别开生面的墙报

赵昌蓉

1948 年 4 月 19 日广播了蒋介石当选总统的新闻，国立中正大学内有一小部分同学于 4 月 20 日凌晨在校园内首先欢呼庆祝，鸣放鞭炮。当天上午，民主墙上贴出了由四年级学生李国麟(当时中正大学活命大会的副主席)执笔并有数百人签名的巨幅墙报，内容如下：“我们都沉湎于幻觉的梦中，在鸡鸣犬吠爆竹声中，幻觉的梦结成希望的火花。二十年来，我们靠上帝赋予蒋总统至高无上的权力来抚养我们，使我们今天仍能活着;固然我们是越活越穷,但在光明到来以前,不是有段黑暗时期吗?我们希望的火花,在神圣不可侵犯的蒋总统的灌溉下,必会结出灿烂丰硕的果实,因为今天我们的蒋大总统可以用全国人民的名义更大胆地去干。今天我们有无限的远景,今天是我们廿年来最快乐、最值得庆祝的一天。长久饥饿的肚子,今天应该充实一下,使万民欢腾的声音,能够叫得更洪亮。今天我们要求学校当局拨一笔专款,给我们来一次大加餐!”广大围观者看后发出阵阵的笑声,觉得很解恨!

闲话张勋

于易

中华民国史上发生过“张勋复辟”事件。张勋(1854—1923),是江西奉新县赤田村人。幼年父母双亡,家境贫困,从十五岁至二十五岁整整十年,在同乡大官僚许振祎(字仙屏,清代同治、道光年间曾任陕西提学使、江宁布政使、河道总督、广东巡抚等职)家当书僮,侍候许的独生子许希甫。我因与许振祎的次孙许汪度相交多年,许汪度曾向我谈过张勋很多遗闻轶事,现记其一二事于此:

许振祎任广东巡抚期间,有次进京觐见,张

勋想炫耀一下自己，就用了官衔名片，前呼后拥地去拜访老主人。至许府送上官衔名片。仆人往内通报，许振祎接过名片一看，大怒道："什么东西！"随手向地下一丢。仆人无法，只好出外对张勋说："老爷不在。"张勋知道不对头，就向门房借了一套衣服换装，改写过一张名片，在这种情形下，许振祎才把他迎入大厅"叙旧"。从这里也可以看出张勋的机诈，而不是人们所认为的一介武夫。

许振祎的独生子许希甫，是一个无意功名的人，连科举都没有参加过。辛亥革命后，张勋任长江巡阅使时，为了酬报少主人的栽培照顾之恩，想要他当自己的"文案总办"（秘书长）之类的官。这位少主人怎肯倒过来寄人篱下，便一笑置之。后来张勋又想保举他做江西省长，也遭碰壁。在当时军阀割据争名逐利的环境中，这位少主人倒不失为一位洁身自爱之士。

张勋于 1923 年 9 月病逝天津，那时废帝溥仪尚住在故宫，下旨给谥号"忠武"，赏银币三千元治丧，赐祭一坛，并派"贝勒"载润前往祭奠，满清的遗老遗少及当时的北洋政府军政大员也纷纷亲临吊唁，送挽联、挽诗致祭。有一个名叫谢旗章的遗老，送的挽联是："功罪未能今日定，是非留与后人论。"妄图混淆历史，这无异痴人说梦了。

张勋护孔林

薛隆基

民国二年(1913)“二次革命”时,张勋率其“辫子军”驻扎徐州。当时,山东省财政支绌,省议会急于筹款,但计无所出。有人建议:“孔林及四配诸墓,林木古茂,大可合抱,为上等木材,如能砍伐出售,得款当不赀。”许多人认为此乃奇策,议决通过。孔子后裔衍圣公得此消息,急忙向省督周子讷哭告求援,周子讷虽然内心不太赞同此事,但亦不便挽回成命,只好向衍圣公解释:“我是行政官员,对议会议决之事,文来只有执行。”衍圣公无奈,只好转向张勋求助。张勋一听此事,奋髯睁目,大叫:“鼠辈敢尔!”第二天即派兵三百人,把守孔林。下令道:“有敢动孔林一草一木者,杀无赦,不问都督、议长也!”孔林因此幸免罹祸。

在张勋一生中,此当为其善举也。

张勋的骨牌

谢先模

众所周知,骨牌都是三十二块一副,可张勋家的骨牌却是三十三块一副,这到底是怎么一回事呢?原来多出的一块是供张勋在赌场中作弊用的。

张勋从 1913 年冬至 1917 年夏在徐州(驻地)做长江七省巡阅使,不仅集徐属八县的大权于一身,连江苏、安徽两省大权也几乎全操在他掌握之中,飞扬跋扈,为所欲为。仅假借赌博之名行巧取豪夺之实,便是一例。

张勋经常邀集他的下属在公馆里赌博。这是一种特殊的赌博,张勋是包赢不输的。他的下属为讨好而借邀赌之机有意送钱给他,那副三十三块的骨牌就是为适应这种彼此心照不宣的勾当而来的。多出的这张是“天牌”。这块天牌放在什么地方呢?就藏在张勋的手心中。张勋手脚特别宽大,手掌心藏一块牌绝对不成问题。他的下属们为了迎合他,总是故意推他做庄。投骰分牌后,张勋手中便有三块牌挑选配对,因此每赌必胜。当桌面上出现了三块天牌,或发现少了哪块牌时,赌徒们都装痴作呆,若无其事。一巡过后,趁洗牌之机,张勋又把多出的一块天牌捞上手了。这一巡又一巡地赌下去，张勋的钱袋也就越装越满了。

张作霖墓志铭作者是谁

胡迎建

民国十七年(1928)，张作霖被日军炸死于皇姑屯。其后张学良求古文大师章太炎为父作墓志铭，拟酬一万银元，章太炎推辞不作。张学良素慕陈三立(号散原)之诗文名，乃请散原老人作，拟酬十万银元。散原亦推辞。其第四子方恪得知此事后，仿散原文笔作墓志，署名散原。张学良不知就里，喜纳之，然未履约，仅酬四万银元。散原知后，付之一笑说："方恪文，句法毕肖，然气不足耳。"

陈方恪曾执教上海震旦学院，解放后在南京图书馆就职，任编目室主任，1966年去世。此事为其好友毛庆藩得知，告之宗远崖，远崖先生又告于予也。

张灵甫杀妻改名

吴 鸢

张灵甫(1903—1947),原名钟灵,字灵甫,陕西省长安县大东乡大东村人。黄埔军校四期步科毕业,后因杀妻改名。

1934年,张任国民党第一军第一师独立旅二团团长,驻防四川广元。因原配邢琼英是文盲,又无姿色,蓄意再娶。广元为武则天故乡,女多俏丽。经人介绍,张与书香门第出身、女中毕业、面貌秀丽的吴海兰结婚。婚后两情融洽,育有一女。时第一军眷属多集中住在西安,由办事处照料生活,军官每年有探亲假一次。一天,有同事自西安回,张问见到其妻否?此君有意逗张,随口说在电影院门前见她与男性同行。张信以为真,终日郁郁不乐。好不容易挨到春节,张藉探亲假来到西安,立命吴回大东村老家过年。甫抵家,叫吴去后园割韭菜做饺子。吴说:"走了大半天,很累。叫勤务兵去割吧!"张说:"叫你去,你就得去。"声色俱厉。吴前面走,张后面跟。正当吴弯腰割韭菜时,张掏出手枪,朝吴脑后连发二枪,当场毙命。后来,张知道是误杀,追悔莫及。

吴娘家以女儿无辜被杀,先后向第一军军

部及张学良处（时由张学良主持西北军事）、陕西地方法院、高等法院各处控诉，然杳无信息。后由陕西省妇女协会出面，备文向张学良夫人于凤至呼吁，于深表同情。她问张学良对张灵甫无故杀妻为何不管？张答，中央军的事，他不便管，也管不了。于凤至便将妇协来文备函寄给宋美龄，请她维护女权，主持正义。宋转告蒋介石一定要办。胡宗南接到蒋介石电令后，便将张押送到南京军政部军法司，被判处有期徒刑十年，关在南京模范监狱。

1937年春，国民政府下令，凡在服刑中的官兵，除叛国罪外，一律调服军役，戴罪立功，并保留原来军衔。张出狱后，因无颜回第一军，便投奔驻在陕南的第五十一师王耀武，从此改名张灵甫。

在抗日战争中，张曾负伤并立有战功。1947年2月，任整编第七十四师（即七十四军）师长，这支蒋介石的御林军，号称五大主力军的主力，在山东孟良崮为华东人民解放军全部歼灭，张灵甫被击毙。

瓦釜雷鸣

曾新民

1938年起，湖南省政府主席由第九战区司

令长官薛岳兼任。有一次薛令省属各机关将所有女职员一律裁撤。素以能干著称的三湘士女,当然不肯罢休,曾引起一场小小的风波,不过处在战时军事第一的情况下,终于不了了之。事后有人查根问底,究是谁出的主意?有人说是民政厅长陶履谦邀宠进谗所致。因此好事者赠陶对联一副,横匾一额:

一事无成,遑论躬行实践;

六爻变卦,只知长恶饰非。

横匾是:“瓦釜雷鸣”

此联语意双关,上联寓“履”,下联寓“谦”,横匾寓“陶”,一时流传甚广。

马寅初讽刺孔祥熙

吴芝轩

1939年春,我在中央政治学校大学部三年级就读(学校在重庆南温泉),我们经济系全班同学到重庆北碚春游,适逢全国经济学年会在北碚召开,我们通过联系,获得列席旁听。那次讨论的主题是“战时物价问题”。我们一下能见到全国那么多经济学家,聆听他们的高论,真感到喜出望外。经济学会的会长是马寅初。我们入场时,适逢他在发言。他说:“我今年六十岁了,朋友要给我做寿,我说,不可!不可!我自觉身心都很健康,晚上还经常做梦在天上飞,可能是阎王把我遗忘了,一做寿,一声张,给阎王发觉,那就糟了。”(众大笑)接着他又说:“我们经济学会有点会金,朋友劝我应该把这些钱换成外汇,以免贬值,我回答说,我们绝不做这种缺德事,纵使将来贬值,这点钱不值什么了,我宁肯卖老面子,到处磕头求人家支援一点,这样良心上才过得去。可是有的当权者,他们决定切断法币与英镑联系(原来法币与英币挂钩,一元法币兑换英镑一先令二便士半),使法币成为不能兑换的纸币的前几天,密令他们的心腹,大量购进外汇,这一下他们发了横财,他们子子孙孙的金棺材都准备好了,可是人民总有一天要和他们算账的(一片掌声)。”当时财政部长孔祥熙与财政部司长卫挺生就坐在前排,卫挺生当即上台进行辩解,被听众嘘下台去。

蒋经国宽释假专员

张日新

1939年冬,南康县乡间忽然出现一位私巡官员,大摇大摆地走村串户。人们偷看他戴的礼帽,里面写着“蒋经国”三个字,认为他就是蒋专员下来微服私访的,这消息霎时在民间迅速流传。于是拦路呼冤的,上告贪官的,揭露土豪的,

不绝于道。这位“蒋专员”也果断处理提笔批答：在某事交县府办理，某事交区署查清，某员革职送审，某乡长向乡民赔礼道歉……。地方上的不法官员们吓得心惊肉跳。区、乡、保长们千方百计想把“蒋专员”接到所在政府好生招待。谁知“蒋专员”却偏不入官府，专与百姓在一起，他们只得战战兢兢，终日追随左右。“蒋专员”有时也令他们拿些零用钱花花，他们十元五元的照送。土豪贪官害怕惩罚，有的逃到赣州城里躲起来。后来打听蒋专员没有外巡，疑心顿起。专署闻讯，派员到南康去追查，终于真相大白，冒牌的“蒋专员”被警察押到了赣州。

蒋经国亲自提审了这个假“蒋专员”。问：“你假冒了我，有什么好处？”答：“闹着玩玩，吓吓贪官有什么不好！”蒋经国无言，挥手叫人带了下去。结果是，假专员锒铛入狱，被判五年徒刑。

1940年6月的一个星期四下午，蒋经国在专署接待民众，一位老年妇女含泪哀请，说他儿子年幼无知，冒渎专员，请垂怜我老妪舐犊私情，切盼早日宽赦。蒋认为此人虽冒充专员，确也没干坏事，为何给他过不去呢？便当场宣布假释，让老妇人将儿子带了回去。

假专员真名彭麻刁子，南康人，幼时读了几年书，懂得一些文字，后学木匠。身材短壮，圆脸大脑，脸上还有几颗浅麻子，长得确像蒋经国。平素好吃几杯酒，醉后便涨红着脸，拍拍桌子，大骂那些为富不仁的土豪赃官，同蒋经国上任当专员时叫的口号如出一辙，于是有人说他像蒋经国了。彭木匠索性借了礼帽和中山装，假扮专员私访，演出了这场闹剧。

假释那天，彭木匠来到蒋经国面前。蒋经国说："你被释放了，我给你释放证。"假专员接过假释证一看，他的名字被改为"彭新民"，连声说："好！好！我今后就叫彭新民好了！"

蒋方良学讲中国话

李珍一

1939年5月间，我任赣县妇女指导处主任时，和蒋经国多有交往。有一次，他邀我和陆采莲（赣女师教师）、彭志明、谢天姿（都是妇女指导处指导员）到他家吃便饭，桌上摆了两瓶红葡萄酒、几盘菜，他的俄国妻子蒋方良和一个小男孩在座。

蒋经国给我们斟了满满的一杯酒，说："这酒很好吃，不会醉，我最喜欢喝葡萄酒。来，你们不要客气，多喝几杯。"接着又说："方良的中国话说得很蹩脚，你们可以常来和她谈谈，教她说中国话。"方良也笑着说："是啊，我今后要向你们学说中国话了。"此后，我们和方良的接触就频繁了，常常在一起聊天，她的中国话也逐渐讲得清楚、准确、流利了。

这年7月间，正是双抢大忙季节，蒋经国指示妇指处，在赣县郊区试办一期农忙托儿所，用蒋方良名义办的。9月间，举行了隆重的结束典礼，蒋方良主持并讲了话。事先，我们替她写好了讲稿，她练习了好几天，背熟了，在台上不带稿子讲的，那一口带外国腔的普通话，讲得非常清楚，又饶有风趣，博得乡亲们阵阵掌声。

陈璧君、陈公博狱中遗闻

冯　川

抗战胜利后，予随校由重庆迁读于苏州拙政园。其时陈璧君、陈公博、褚民谊等汉奸皆羁押于苏州模范监狱。1947年秋，系中有《犯罪学》一课，授课教授与监狱方面商妥，率全班同学四十余人往监狱参观。当行至陈璧君牢房时，陈闻人声嘈杂，即倒床面壁而卧。众同学近前围观，欲一睹陈“庐山真面”而后快。陈翻身而起大怒曰：“看什么？有什么好看？看猴子不成。”同学乃一哄而散。

陈公博于狱中曾作绝句多首，为沪上某小报刊出，余仅记其二首，其一为：“生平不识王侯贵，今日方知狱吏尊。国事乱麻心槁木，白云明月寂无言。”一为：“五年撑拄几艰难，赢得尊称唤巨奸。黑水黄河颜色变,不堪叹息雾中看。”临刑前数日，为狱吏书对联一幅:“大海有真能容之量,明月以不常满为心。”行刑之日,陈行经陈璧君之牢房前,陈璧君倚窗而望,陈公博曰:“汪夫人保重。”陈璧君大哭。刑场设于监狱院内,院中置坐椅一,当陈行近坐椅时,执刑者持驳壳手起一枪,陈应声毙命。陈公博一生翻云覆雨,卒致堕落为国人皆曰可杀之汉奸,腼颜事敌,临死犹不悔罪,反以“白云明月”“五年撑拄”等自況,“哀莫大于心死”,其斯之谓欤!

“国大”两个小镜头

李传梓

1946年11月,“国大”在南京开幕,我曾以“中央社记者”身份旁听,坐在二楼后排。

那天开会前,台上只坐蒋介石和胡适二人。蒋御戎装,坐正中。胡适坐在他左边。因天气闷热,胡适边谈话边脱大衣。蒋见状立即起身双手接过胡适脱下的大衣,轻轻放在椅背上,这样一来,使胡适坐立不安,大有受宠若惊之感。

“国大代表”傅斯年身体肥胖,坐在楼上前两排正和人谈天，记者围拢上去。傅斯年素有“大炮”之称。不久前,他在《大公报》上发表长文《这个样子的宋子文非走开不可》(宋其时任行政院长，因法币存款兑黄金时，大打折扣，导致人民不满)，引起全国瞩目。记者问到这篇文章时，傅高声笑着说："我的文章，他(指宋)看不全懂，不过他很生气的。"说时流露出得意神色。事隔四十五年，仍给我留下很深的印象。

程时煃妙答王陵基

廖宇阳

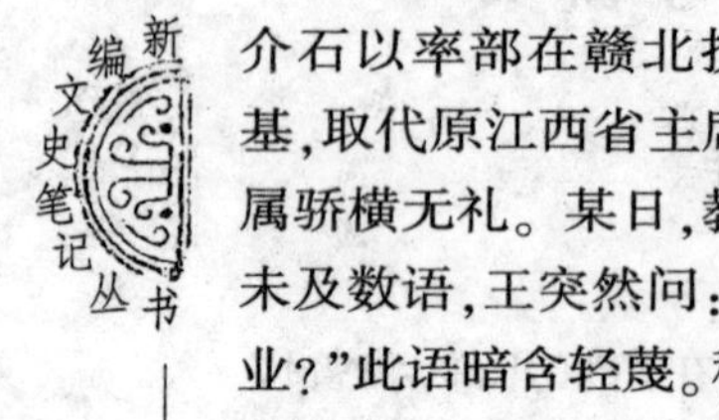

1945年抗战胜利不久，江西省政府改组，蒋介石以率部在赣北抗战数年之川军将领王陵基，取代原江西省主席曹浩森。王乃军阀，对下属骄横无礼。某日，教育厅长程时煃因事谒王，未及数语，王突然问："程厅长，你是什么学堂毕业？"此语暗含轻蔑。程莞尔笑曰："主席，我是秀才出身。"王闻后为之语塞。程20世纪20年代留美，曾任江西教育厅长十余年，在全国教育界亦为闻人。盖有意讥王为"秀才遇着兵，有理说不清"也。事传于外，赣人莫不笑王自取其辱。

“县长考仪容”

陈本前

抗战胜利后，胡家凤任江西省主席时，民政厅长刘时范，曾举行一次县长考试。刘于应考科目之外，另加“仪容”一项，而刘本人却半边脸颊上有原朱砂痕胎记。某应考者作打油诗讽之曰：“乖乖隆的冬，县长考仪容。请看刘厅长，胭脂半边红。”此所谓无自知之明，徒贻人以话柄者是也。

“金圆券”出笼前后

许启澂

1948年8月，一天，蒋公馆打来电话，要中央政治委员会召开紧急会议。大家预测必有重大事件发生，到会的人很多，神情也很严肃，平常不大列席的也来了。其中最引人注目的是白白胖胖的陶希圣，他原随汪精卫叛国。后见形势不佳，又脱汪附蒋，时任中宣部副部长，平素不大露面。

王云五当时是财政部长，他在政治舞台的

身份是"社会贤达"。那天同翁文灏同来开会，坐翁后排。翁说："财政部有些问题，特邀王部长列席报告。"王态度谦恭，拿出事先准备好的材料宣读，大意是，目前财政已经到了山穷水尽的地步，内外交困，不可终日，要求改革币制，发行"金圆券"。因此时间紧迫，只好用早已印好非孙中山像而是蒋介石像的币面，请大家通过。

谷正纲发言："如无实物作基础，光在票面上改革，不能解决财政危机，关金券就是前车之鉴。新街口叮叮当当敲银元，说明民众对纸币失去了信任。"

张道藩时任中央文化运动委员会主任，他和其他一些委员发言，都不同意现在提出改革方案。

蒋介石说话了："目前财政上的困难，王部长已经作了报告，这次改革币制，已同外国朋友商量好了，试试看。"然后站起来，双手徐徐托起来说："大家起立，表示表示赞成。"于是大家起立，掌声稀疏可闻。第二天，"金圆券"出笼。

不久，"金圆券"大跌，上海许多人把货物囤积起来，市面萧条，人心惶惶。

后来蒋又在一次会议上就这一问题发言："前不久发行金圆券，大家都在会议上鼓掌通过了的，现在出了问题，又把责任推到我一个人头上。"

陈三立与松门别墅

胡迎建

陈三立(1852—1937),字伯严,号散原,江西义宁(今修水)人。光绪十五年(1889)进士,官至吏部主事。维新运动时,曾协助其父湖南巡抚陈宝箴推行新政,支持康、梁变法。戊戌政变后,与其父均被革职永不叙用,遂刻意为诗,卓然名家,成为同(治)光(绪)体诗派领袖。

诗人壮年时与湖南易实甫游庐山, 有买山结庐之约。1929 年秋,自沪归江西,入庐山牯岭,在河南路以四千银元向挪威某氏买宅一幢,并加修缮,取名“松门别墅”,始偿夙愿。其地松树参天，时闻鸟鸣之声；曲径通幽，楼台高耸。诗人曾吟道："乡梦醒鸣筱，始觉身如鸟"、"息影松林径，洗梦涧瀑流"。写夜景如："洗露峰峦迎皎洁，带星楼观出高寒"；"犹有酒杯邀对影，石根虫语落栏干"。伴其居者，孙女小从。散原诗云："雏鬟呼看火烧云"；"雪壑冰枝带一雏"。"雏"即指小从。其时女婿俞大维常来省视起居。

诗人居山期间，扶筇参加夏日庐山雅集唱和活动，参加"庐山植物园"成立典礼，慕名来访者众，如李济深、马占山、李四光、欧阳竟无等。我省名画家彭友善亦造访其庐，画下飘髯如银之像。蒋介石避暑庐山时，欲约见他，却被婉辞谢绝。

啸傲山水之际，"一二八"沪战消息传来，诗人寝食不安，夜忽梦中大呼杀日本人。可见他忧心国事，萦诸梦寐，故有此呼叫。

1934年底，因其时三男陈寅恪执教清华园，他离开庐山，寓居北平。临别之际，在"松门别墅"附近石上刻"虎守松门"四字，惜客死他乡，未遂来归之愿。

李盛铎爱书成癖

李传梓

我的祖父是光绪十五年（1889）己丑科榜

眼，任山西布政使，出使日本、比利时的清廷大臣李盛铎(1859—1935)。

祖父小名黑吼，字椒微，号木斋(人称“木老”)，江西省德化县(九江县)十里铺谭家畈人，是我国近代著名藏书家、校勘家和目录学家。

早在道光年间(1821—1850)，远祖李恕曾建木犀轩藏书楼于谭家畈旧居，藏书达十多万卷。曾祖李明墀“生平好聚书，廉俸所余，辄购置经籍，所藏多至数十万卷”(《德化李大中丞行状》)。祖父秉承父命，继续搜集名家著述，辑成《木犀轩丛书》一套刊印行世。他虽身为大臣，但只要听说某地有旧书出售，必亲自去看，有合意的不惜重金，务求到手；如遇售价过昂，则借阅借抄。许多书商也慕名送书上门。光绪二十四年(1898)十月五日，祖父继著名诗人黄遵宪后任驻日公使，结识日本目录学家岛田翰，购回不少国内罕见的善本和孤本。晚年息影天津，还经常专程到北京琉璃厂选购珍籍。祖父藏书数量之多，质量之高，内容之广，在我国图书史上有特殊地位。如宋元刻本多达三百多种。其中如《册府元龟》，成书于宋真宗大中祥符六年(1031)，距今已九百余年，是不可多得的海内孤本。有些失散多年的图书，祖父也煞费苦心地一部部慢慢配全。如《大定新编便览》二卷为金世宗时(1161—1189)所编，存世者极少，祖父在1917年购得残本，八年后才将其余部分全部配齐。

祖父对自己的藏书全力校勘，并随时撰写

下藏书的题识、题跋和书目提要。叙述购书经过，介绍作者生平，考证版本源流，指出内容讹误，或对作品作出评价。日积月累，所写题识多达一千五百余则，十五万余字，学术研究价值极高。祖父去世后，日本书贾千方百计想用高价收买祖父藏书，被我家拒绝。后廉价让售给北京大学图书馆，由著名的版本目录学专家赵万里先生等整理编目，编印出《北京大学图书馆珍藏李氏书目》，分上中下三册，按经、史、子、集、丛书五部分类，使祖父藏书得以完整地保存下来，成为我国一份相当珍贵的文化遗产。

李瑞清寄情梅仙

邹自振

清末民初著名的书画艺术家李瑞清(1867—1920)，字仲麟，号梅庵，又字梅痴，晚年署名清道人，江西临川人。说起他的号，还有一段不同寻常的来历。

李瑞清于三十岁被授职江宁提学使兼两江优级师范学堂监督。他的才学、人品被他父亲的好友湖南常德人余祚馨看中，就在这一年，余将自己的爱女许配瑞清为妻。谁知这位名门闺秀，未婚即夭折。余祚馨继以第六女梅仙嫁瑞清，不料亦归泉下，使瑞清极为悲伤。余祚馨在痛失二女之后，因爱瑞清之才，又许以第七女玉仙，但不久又亡。瑞清遂鳏终身，又更字“梅痴”，自号“梅庵”，寄托他深沉的哀思和隐痛。他所作的《春日元配余梅仙墓下作》和《邓尉看梅悼逝》等诗，都是悼念梅仙的。

李瑞清虽然在诗、书、画上名冠一时，但个人婚姻上却屡遭不幸。也许这种变故与不幸，更使他寄情于书画艺术的追求。

支那内学院创办人欧阳渐

黄楚裳

欧阳渐（1871—1943），字竟无，江西省宜黄县人。早年在南京半边街，紧靠秦淮河畔，创办支那内学院，讲授大藏经等经典。弟子数十人，对佛学均有造诣。今驰名国内外佛学泰斗赵朴初亦系渐老入室弟子。

我与其孙女筱苏（辽宁大学外语系教授）及孙应一、应象同辈。“九一八”日寇侵占东北，威胁平津。我当时就读于天津扶轮中学初中三年级，随天津大中院校请愿团南下请愿，沿津浦路直抵南京，借住金陵大学大礼堂。孰料第三日蒋介石在军校召集致训，敦促迅即返校，不得荒废学业。表面上名正言顺，实际上是恐怕形成全国性运动。于是大队人马只好打道回津。我因父母

住在上海，姨母坚留暂住支那内学院，住了近一年。每日从姨父学几何，并同表弟妹从竟无先生读四书五经。竟无先生长于佛学，更擅书法，蕴集颜、柳诸人之长，自成一体，日必亲自悬腕写出数十字作帖，并要我们临写。所以我们除听讲背诵经史外，也常学习书法。

当年淞沪抗日名将陈铭枢亦喜佛学，曾携其子来院听讲。1950年6月12日陈曾与毛泽东主席讲论佛法，毛曾专函论及此事。

支那内学院环境幽雅，依水建园，绿树成荫，曲径通幽。讲经处楼台水阁，别具韵味。竟无先生居中后进，其余弟子眷属均住后院。靠大门前院有刻板印书处。学院除印刷经学外，我们当时读的《孟子》、《论语》、《大学》、《中庸》均系木版刻印，只《诗经选》是油印的。

当时我们对用"支那"作为学院名称深以为怪，总感觉到"支那"两字系敌寇对我们国家的贬词。竟无先生不厌其烦地以佛经的意思向我们解释。他说在古印度、希腊、罗马等地，人称中国为 Cina、Thin、Siuae 等，都以"秦"字对音，嗣后佛教经籍中译作"支那"或"脂那"，并非贬词，日本亦以汉学为先导，故加以引用。当时竟无先生还取出经文加以证诂。我们聆教后始知意义深长，顿开茅塞。

一年后父母接我回上海就读南洋补习班，继升李公祠复旦附中。我再度赴南京游，重莅支那内学院，并为老人照了一张全身照，他非常高兴。原照现存其孙处。童年回忆犹历历如昨,先生之慈祥音容至今难忘。

汪辟疆论郑孝胥之诗与人

草　心

郑孝胥,字太夷,号苏戡,福建闽侯(今福州)人。工诗,为光宣诗坛健将,有《海藏楼诗》八卷。汪辟疆先生于1919年撰《光宣诗坛点将录》,比之为《水浒》中之玉麒麟卢俊义,赞语曰:"日暮途远终为虏,惜哉此子巧言语。"本就其忠于清廷而言也。后义宁曹东敷、顺德黄晦闻二先生见之,以为郑不过自附殷之顽民,何至于终身为虏?力主删去赞语。及日酋土肥原挟清末帝溥仪出走津沽,张园会议,郑氏力主附倭以延残喘。"九一八"事变之后,伪满洲国成立,郑氏果出任伪满总理,奉溥仪低首扶桑,屈膝虏廷,"终为虏"三字,遂成铁案。1944年,汪先生在重庆评郑氏之言曰:"殷顽犹可恕,托命外族不可恕,以诗论自是射雕手,然晚节不终,非惟不可与钤山堂(严嵩)并论,且下阮圆海(阮大铖,南明权奸)、马瑶草(马士英,南明权相)一等矣。""托命外族不可恕"一语,铮铮作响,掷地有声,笔法春秋,严于斧钺。汪先生重视民族气节之操,爱国爱民之念,可于其平日论诗论人中窥其心地也。

胡先骕的直率与倔强

王咨臣

胡先骕（1894—1968），字步曾，号忏庵，江西新建人，是我国著名的植物学家和文学家。

1912年先骕考取江西官费出洋留学生第一名，到美国攻读植物分类学，获得哈佛大学博士学位。因爱好文学，除研究科学外，并阅读外国小说达四百余种。时绩溪胡适，亦留学美国哥伦比亚大学学哲学，兼好文学，但所读外国小说，不及先骕的一半。所以先骕常说："适之研究文学，根底浅薄，不及我研究的深厚。"

先骕学成归国后，从事教育工作，数十年如一日，桃李遍天下，杨惟义、陈封怀、周拾禄、黄野萝、林英等许多知名学者，皆其入室弟子。

20世纪30年代，他创办庐山植物园、静生生物研究所，研究出古生代植物水杉的孑遗，经精心培育、繁殖，现在已遍布于全世界。

1943年3月间，他任中正大学校长时，赴重庆述职，道出桂林，广西大学校长特请他作学术讲演，全校师生毕集。他登台后，开场白就直率地说："今天我应贵校校长的邀请，为你们讲《生命的意义》，这是我研究的新成就，你们能听到我这个学术讲演，应当感到十二万分的荣幸！”

先骕一生只会研究学问，个性倔强，不会阿谀奉承。1946 年 7 月至庐山，应聘任江西省暑期讲习会讲师，先后主讲《生命的意义》、《思想之改造》、《教育之改造》、《诗的技术与内容》，十分生动，引人入胜，因而文史组会员再约请他主讲《五四新文化运动论战诸问题》。蒋介石闻他来庐山，特下一手谕，由省主席王陵基转达要召见他，商讨全国高等教育改造问题。但先骕闻讯，即于 8 月 4 日提前下山，由九江返回南昌，拒不应召。

熊公哲倒看榜

熊源奉

熊公哲字翰叔，赣之奉新人。年十五至南昌，投考心远学堂。时值清季，实行新学制，心远为私立，就学者皆富家子弟。公哲家本寒素，来自乡间，睹同考生服饰，不免自惭形秽。榜发往观，自认为若获取录，亦必居榜末。遂自榜末看起，久之不见己名，废然而返。继思既已前来，何不看毕。复自榜首看起，始知已高中第三名。是榜第一名邱椿，第二名刘师舜，后皆有声于时。

民国初期，熊与汪辟疆（国垣）、王晓湘（易）、余仲瞻（謇）同执教于心远大学。熊以诸子,汪以诗,王以词,余以训诂,皆蜚声于时,被尊为"江西四子",又号为"有脚书橱",翰叔尤以古文著称。抗日战争期间,高级学府多迁内地,中央大学迁重庆。辟疆时为中央大学中国文学系主任,引翰叔至中大授诸子学及古文。翰叔初至重庆,知者尚少,或以熊君何能为问,辟疆对曰:"今之能旧诗词者,尚不乏人;以言古文,则必以翰叔为巨擘焉。"授课未及一年,声誉鹊起。

"孔学大师"熊公哲

熊　飞

熊公哲(1894—1990),原名业波,又名翰叔、果庭,江西奉新冯川镇岗霞村人。1921 年毕业于北京大学中文系。先后任教于心远大学、中央大学及政治大学四十余年。著有《孔学发微》、《韩非学》、《荀卿学案》、《王安石政略》,《果庭读书录》等。先生以专门研习诸子驰名,去台湾后被尊称为"孔学大师"。

当时我在南昌一中二院师范科就读, 就我记忆所及 (并参考了一位友人的听课笔录),公哲先生当时对孔子问题就有一些异于常人的独特见解。他认为孔子是万世师表,大道之行,非言说所可传的。孔子重朴实,重事实,是一位力行的哲学家。孔子对于文并不重视,《论语》说

“行有余力,则以学文”。先生认为“孔子非儒”。儒学不能代表孔子。他说:“儒有君子与小人之分,为人者是君子儒,为己者是小人儒。在当时,儒一般是被人轻视的,故有‘贱儒’、‘竖儒’、‘腐儒’之称。孔子并非儒家,他‘博学而无所成名’,岂宜囿之以儒?”

公哲先生讲课时,常插入一些诙谐语言,使人听了格外有趣,如他谦称自己是孔门扫地童子。又说:“孔子某些学说与近世西欧某些学说相似。模象古哲,而辄被以西人冠服,其庸有肖乎!”有时他讲得性起,就干脆使用奉新方言,说是:“赖着孔夫子穿西装。”

公哲先生于其母逝世十周年纪念日,撰写挽联,贴诸门首。联云:“十年一日,天上人间。”真是言简意赅,曾博得不少乡先生们的赞赏。先生已于1990年4月初病逝于台湾大学附属医院,享寿九十有六。用特濡笔草此短文,纪其轶事,藉表哀思。

国民党党歌作曲者程懋筠

熊志成

1928年,国民党定都南京后,中央党部登报公开征选党歌曲谱。这首党歌是以孙中山先生“黄埔训词”即“总理遗训”为歌词,均系四字韵文。应征投稿者达百余人。由参加评定的音乐家听取演奏后投票记分选出，严格规定演奏时作曲者姓名不公开，演奏者在幕后演奏，不与评选人见面。评选结果以江西新建人程懋筠所作曲谱获票最多当选(密封号码为八十一号)，颁发奖金二千元，从此，程氏名声大震。

程氏素具传统文化，诗词歌赋均有深厚的功底，他既是声乐家，又是作曲家，亦能写歌词，他作的歌曲多为自己写词。当年，他创作国民党党歌曲谱时，每一乐句，每一乐段，仔细推敲，反复演唱，多次修正歌稿，但对自己的作品仍不满意，最后将谱完的曲稿抛入书室字纸篓里，被其夫人舒文辉女士发觉，投寄国民党中央党部。可以说，程氏之所以应征选中，与其夫人“救歌”之力是分不开的。

程懋筠先生，吾师也，日本东洋音乐学院毕业生。1926年学成回国后，曾应聘在多所大学任音乐教授。他在日本留学期间，主修声乐，兼修作曲，受到日本著名音乐学者田边尚雄教授器重，被誉为“特生”。1933年应聘回江西，担任“江西省推行音乐教育委员会”主任委员，主持全面工作。当时，该会在国内影响最大的是出版了《音乐教育》月刊。这是国内惟一由政府出资办的音乐期刊。自1933年4月创刊，直到抗日战争爆发被迫停刊的1937年12月，历时五载，共出版五卷五十七期。该刊总负责人是程懋筠，主编是今日中国著名的学者缪天瑞。撰稿人几乎集中了近、现代中国音乐史上所有精粹人物，如萧友梅、王光祈、青主、钱君匋、贺绿汀、吕骥、赵元任、刘雪庵等。1989 年 4 月出版的《中国大百科全书·音乐卷》，为《音乐教育》设立专条，足见其在中国音乐发展上占有重要一席。

民国首届高等文官考试及其榜首周邦道

方靖四

1927 年国民党政府定都南京，设立考试院。戴传贤任考试院长，并在南京鸡鸣寺山脚建成院址。

1931 年 1 月 28 日，国民政府明令开科取士，定于同年 7 月 15 日举行民国有史以来第一届高等文官考试。事先由国民政府特派考试院长戴传贤为高等考试主考官兼典试委员会委员长，特派邵元冲为襄试处主任，派陈大齐为典试委员会秘书长，派焦易堂、陈大齐、张默君、冒广生等十三人为第一届高等考试典试委员，并由典试委员会延聘海内著名学者胡庶华、孟宪承、程其保等四十一人为襄试委员，监察院派监察委员刘季平、于洪起等八人为监试委员，负责监督考试事宜。上述人员于同年 7 月 6 日宣誓就

职，并赴南京中学第二院入闱，扃闭后，严禁出入，各门锁钥均由监试委员于洪起掌管，闱内一切供应，均由襄试处备办，直至试事结束之日始准出闱。

考生试场共分三处：一为中央大学礼堂，一为中央大学体育馆，一为南京中学第一院。考生每日五时起开始点名，核对照片，对号就座，由各场监试委员当场开发密封试卷，六时开始发题作答。每日考试两科，每科三小时。考生每日进入试场后，外门均加扃锁，下午一时试毕始准出场。

高等文官考试共分三试进行：一二两试为笔试，第三试为口试。于 1931 年 8 月 9 日正式放榜。计全国投考者约三千数百名，正式录取为一百名。

放榜之日仪式隆重，主考官与典试、襄试委员以榜车为前导，分乘汽车多辆，于军乐爆竹声中出闱，绕行大街，将榜送至考试院门前高悬，主考官等向榜行鞠躬礼始退。江西籍周邦道以最优成绩荣登榜首，一时名传国内。

周邦道，号庆光，江西瑞金人。高考后被荐任为教育部督学。抗战后兼任贵州国立第三中学校长，学生中现在国内成为名家者颇不乏人。1941 年被荐命为考试院参事，1942 年出任皖赣考铨处处长，1946 年 7 月被任命为江西省政府委员兼教育厅长。后去台湾。1991 年 6 月，周病逝于台北，终年九十余岁。

姚显微创办女子书店与抗日殉国

王洛臣

姚显微(1905—1942),原名名达,字达人,出生于江西兴国县一个读书人家。长入清华大学研究院,受业于梁启超、王国维、陈寅恪诸先生,是一位对文化事业有贡献的人。1929年3月,由于王国维、梁启超先生逝世,姚乃南下应上海商务印书馆之聘,入编辑所任编辑。后因工资低微,不能维持生活,遂离开商务,租得霞飞路(今淮海西路)五百二十三号店肆,创办女子书店,以提高女子地位为职志,自任经理,专事编印《女子月刊》、《女子文库》等书刊,由原配夫人黄心勉任名义编辑。心勉早年毕业于赣州女子师范,文化水平颇高,从事校对发行工作。当时负责实际编辑工作的为赵清阁。1935年黄心勉不幸逝世,姚显微乃兼任校对发行工作。

《女子文库》有《中国妇女大事年表》等书,该书系显微父亲姚舜生所编撰,颇有学术价值。

1937年芦沟桥事变后,姚自上海回江西,任国立中正大学文史系教授。1942年6月,日军进攻江西腹地,姚在江西泰和与学生数十人组织

"抗日战地服务团"，奔赴樟树抗日前线开展工作。于1942年7月7日，在新淦县石口村与日军遭遇，显微率学生与日军徒手搏斗，毙一日兵，卒被日军丛刺而死。死难者师生共七人。江西著名诗人辛际周有《悼姚显微》诗云："百岁偷存只等闲，多君一死重丘山。仇天切齿羞同戴，祖道高歌判不还。志奋书生酬报国，风兴甲士盼收关。白头愁疾仍逋寄，思旧伤神益汗颜。"当时江西各界在泰和举行隆重迎灵及祭奠仪式，现江西师范大学校园内建有纪念亭。

王世杰慧眼识佳作

吴惠生

1937年4月，国民政府教育部在南京鼓楼附近之国立美术陈列馆举办了全国第二次美展。名画家彭友善有四幅作品参展。这四幅作品分别为《恶梦》、《大同世界》、《华清池》、《伴侣》。其中《恶梦》系用四张八尺宣纸拼合而成，特别大。《大同世界》、《华清池》，均为八尺中堂，《伴侣》则为六尺中堂。当时展览会设有中西画两个审查组。惟独彭友善的四幅画两组都不肯审查，中国画审查组说它是西洋画，西洋画审查组又说是中国画，因此搁置一旁。展览开幕的前几天，教育部长王世杰亲临视察，了解到展品基本上已审查完毕，惟有四幅画没有审查，王世杰有些奇怪，不由展开一看，发现这些画都系中国画笔调，表现形式以线条为主，设色仍强调固有色，但却运用了西洋画的明暗、透视等手法，看起来特别生动、传神。王世杰惊奇地说了声“好画”，随即建议两审查组合并审查。在审查过程中，中国画组按谢赫的六法品评，认为不论在构图、赋色、用笔、气韵等方面，都属妙品。西洋画组也承认作者将西洋古典主义油画的解剖、透视、明暗等技法巧妙地吸收过来了，而且将它与中国画结合得水乳交融。一致认为这是当时中国画的一种创新，乃将四幅画全部入选，打破了每位作者入选作品不得超过三幅，每幅作品不得超过六尺的展览规定。这样彭友善便在全国第二次美展中成为创“中西合璧”画风的瞩目人物。

竺可桢泰和建堤

萧英俊

1938 年沪杭相继沦陷，著名科学家竺可桢率领浙大全体师生内迁江西泰和县，校址设在距县城十华里的上田村。

就在这年，竺校长了解流经泰和之赣江，每当春夏之交洪水泛滥，威胁着两岸人民的生命财产,上田村首当其冲。于是,他立意要为当地人民解除水患。遂亲自察看地形,筹建治洪规划小组,并与当地政府协商,由浙大提供资助(其实当时浙大迁校,办学经费也紧缺),当地政府负责组织民工施工。县长鲁绳月在竺校长感召下,欣然同意。

按竺校长的规划,从武山脚下的三溪头顺江而下,修一条三十华里的防洪大堤。施工中,有一大难题就是迁祖坟。由于当地封建迷信严重,迁祖坟对老百姓来说是一件非同小可的事,所以有的百姓咒骂竺校长,还有一些士绅也出面干预。竺校长一面进行宣传解释,一面妥善安置坟主,工程破除阻力后继续进行。待到来年洪水到来之前,一条蜿蜒壮观的大堤已经建成,从此沿岸的百姓免受洪祸之苦。后来竺校长和他所领导的浙江大学虽迁往大西南,可是被泰和人民誉为"浙大堤"和受人民尊重的科学家竺可桢的名字,却永远记在当地人民的心中。

萧蘧轶事

罗自梅

萧蘧(1897—1948)字叔玉,江西泰和人。早年在清华大学毕业后留学美国,获康奈尔大学经济学硕士学位,曾在哈佛大学、密苏里大学主讲经济学。回国后,历任南开大学法学院长、清华大学教授和中正大学校长。

萧蘧是海内外知名的经济学家，主攻经济理论、国际贸易与金融,特别对黄金问题及其对策有独到研究。早在20世纪30年代,他和马寅初、李权时同被选为中国经济学会常务理事,称为“经济学界三大台柱”。

1943年,萧蘧在昆明西南联大任教,主持中英庚款特约讲座。当时,美国副总统威尔基代表罗斯福访华，在重庆曾询问蒋介石关于这位中国著名学者的近况。萧氏与威尔基在哈佛大学同学,而且为莫逆之交。蒋介石到处打听萧蘧其人，后来从科学家吴有训那里才知道萧先生的下落。正值中正大学校长易人,蒋介石敦请吴有训返赣接任,经吴有训再三推荐,遂改请萧蘧接任。

萧蘧接掌正大以后,励精图治,埋头教育。他在泰和各界人士欢迎酒会上,语重心长地说:“教育是我的终生事业,办好正大是我应尽的职责。”他笃实践履,先后三次亲赴长沙、桂林、昆明、重庆、成都、南京、上海等地延聘一批名流学者,如彭文应、王福春、刘椽、郭庆棻、谷霁光、吴士栋、罗尔纲、萧涤非、徐中玉、戴鸣钟、蔡文显等人,乃弟萧公权博士也应聘来赣讲学。植物分类学权威胡先骕博士仍任正大特别教授。江西高等学府人材荟萃,名噪一时。

1946年,蒋介石在庐山召见萧蘧。萧氏面陈自己对正大未来的设想：在白鹿洞、海会寺一带勘定永久校址，建设比武汉大学更雄伟，文、法、理、工、农各学院独具特色的校园，增设最新科学专业，如航空工程学系、植物分类学系、动物胚胎、昆虫学系，计划向国外如美国洛克菲勒财团募集学术基金等等，得到蒋氏的首肯和赞许。

1947 年，萧蘧应蒋廷黻的邀请，担任中国驻联合国经济顾问。全家由正大秘书李涛护送赴美。萧于次年病逝于任内。

陈礼江与社会教育学院

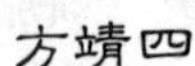

原国立社会教育学院院长、爱国教育家陈礼江(1896—1984)，号逸民，江西省九江市新港人。早年入九江南伟烈大学，后留学美国，研究教育和心理学，获硕士学位。1923 年回国，任武昌师范大学教授。1927 年起，任江西省教育厅厅长三年。后又任广州中山大学教育系主任，1936 年被任为教育部社会教育司司长兼参事。

1938 年 7 月，国民政府教育部提出设立培植社会教育人才专科的学校。1939 年 4 月，教育部核准于 1940 年设立社会教育学院筹备处。1941 年 1 月令派陈礼江等九人为筹备委员会委员。院址选在离重庆六十公里的璧山县。并将原江苏教育学院、大夏大学社会教育学系二、三、四年级学生并入。部聘陈礼江为院长。

学院先后设有社会教育行政系、社会事业行政系(包括礼俗组)、图书博物馆系、新闻系、艺术教育系(包括美术、戏剧、音乐三个专业)、电化教育系和一个国语专修科。这些系科,在当时高校很少设立或根本没有。

当时应聘来校任教的,大多是名流学者,如许德珩、庄泽宣、许崇清、顾颉刚、杜佐周、童润之、董渭川、汪长炳、俞颂华、马荫良、谷剑尘、刘雪厂、吕凤子、张骏祥、戴爱莲、洪深等等。并敦请著名爱国人士郭沫若、黄齐生(王若飞舅父)、王芸生、钱穆、梁漱溟、陶行知、晏阳初、黄炎培、叶圣陶等人来校演讲,极一时之盛。

陈礼江订院训为:“人生以服务为目的,社会因教育而光明。”学院的院徽是一个火炬。

抗战胜利后学院东迁苏州,以原太平天国忠王府,包括苏州名园拙政园为临时院址。永久院址则设在南京栖霞山。解放后几经合并,现为苏州大学。

解放前夕,国民党政府曾密令该院迁台,他拒不接受。后居香港,曾赴美国参加联合国教科文委员会议,1950年毅然回国。晚年受到政府优礼,曾任九江市政协第七、八届委员,1984年在九江病逝,门生遍布海内外,成名立业者甚多。

傅抱石青胜于蓝

章　琳

傅抱石先生少年时的老师胡芹香，是清末秀才，两江优级师范毕业，工诗词文章，擅丹青书法。傅先生每次回新余，大部分时间吃住在胡家。胡老师爱徒如子，授艺传术，知无不言，言无不尽，希望傅先生艺术深造，学有所成。

一天，胡老师讲述他绘《百蝶图》晋京的往事与工笔技法，傅抱石听后，钦佩老师创作严谨，神形兼备，深受启发，心情激动，即请老师讲解欧阳修《醉翁亭记》，老师讲得娓娓动听，学生听得津津有味。过几天，傅便创作出《醉翁亭记图卷》，左上楷书《醉翁亭记》全文。落款为“新余傅抱石”。下钤“傅抱石印”。画面描绘了琅琊山中，有行人，有乘轿，有俯仰，有歇息，有砍柴，有打猎，有渔归，有对弈，有畅饮。主宾宴酣，游客歌唱。画面山水染点穿插，人物布置呼应，突出了滁州太守欧阳修与民同乐的雍熙气氛，此画深得胡的赞许。

1931 年徐悲鸿带领学生从庐山写生归来，途宿南昌。傅先生拿着一卷画登门求教，徐悲鸿一张张细看，看到此画，凝视许久，觉得它篇幅不大，却气势恢弘，不由连声赞道：“妙，妙，大可

造就。”20世纪30年代，此画曾参加中华全国美展，轰动一时。胡芹香是我的内舅父，曾对我笑谈此事，我说：“名师出高徒。”舅父说：“青出于蓝而胜于蓝。”

饶毓泰的三次婚恋

邹自振

我国著名物理学家，被称为光学巨星的饶毓泰先生，江西抚州人，尽瘁教育，为国育才，身后萧条，无儿无女。他的三次婚恋及其不幸，都与他为之奋斗的科学事业紧密相联，不禁使人肃然起敬，凄然同情。

1912年，毕业于上海南洋公学的饶毓泰回到故乡临川，执教于省立三师，并与本县望族小姐黄道子结为伉俪。次年，饶毓泰考取江西省公费留学生，赴美国芝加哥大学攻读物理学。行前，夫妇俩订下“读完五年大学，当即回国团聚”的盟约。但饶在获硕士学位后，又考入普林斯顿研究生院，继续攻读博士学位。他在给妻子的信中，解释了为了国家的前途而继续攻读的念头，并附上与同学们的一张合影，照片中恰有一位“巧笑倩兮”的女生站在饶毓泰身边。多心的黄道子，竟疑他心变情移，另有所钟，藉故不归。因此，郁郁成疾，不治而逝。饶毓泰得知后悲痛欲

绝,但为了祖国的科学事业,他只有继续留在美国。

饶毓泰学成回国后,执教于北京大学,挚友朱学陆出于对饶的同情与敬重,将胞妹朱仪隆介绍给他,不久他们便结了婚。朱仪隆美而慧,喜文学,热情奔放,是一位"新女性",饶毓泰却是一位沉默寡言、严肃认真的科学家,繁重的科研和教学工作,几乎占去了他的全部时间。终因性格爱好的截然不同,夫妻之间矛盾不久便激化了,终于离婚。朱仪隆的离去,对饶毓泰又是一次沉重打击,也是一次解脱。他不悲不怨,默默忍受,只有于事业中寻欢乐。

但事业与爱情并非势不两立的。后来,终于有一个娟秀文静的女学生张明因主动而热情地向科学家表达了倾心的爱慕。这样,饶第三度成婚。婚后,饶毓泰在生活上得到了妻子无微不至的照顾,在事业上也得到妻子的全力支持。谁料幸福对于他们却如此短暂,时值抗战爆发,北大奉命南迁,当饶携妻行经长沙时,突然遭到敌机的空袭,张明因连同怀在腹中的孩子,竟惨死于日机的狂轰滥炸之下。饶毓泰痛不欲生,他忍受着巨大的心灵创伤,安葬了爱妻,又卷入南撤的人流,辗转跋涉前往昆明,创办西南联大物理系,为祖国培育科学英才。

张书旂一次特别的签名

甘登信

张书旂先生是近代杰出的花鸟画家。他的画风格独特,别树一帜。抗战期间,执教于国立中央大学艺术系。1937 年,该校迁至重庆沙坪坝,全校七个学院共处一个小山头,各院系师生接触频繁。教授多是留美的,都认为张书旂的画定会受到美国人的欣赏。张经此提醒,后来果到美国去开了画展。1948 年 4 月,张先生从美回国,我与他晤面,亲耳听到他告诉我一件有趣的事。

张书旂赴美开画展是在 1941 年秋末。他在美国各大城市巡回展出,并在展览会场里设案作画,让观众参观,使美国人对于中国画有进一步的了解。有一次,他在当众作画的时候,忽然有一位美国籍女士手持纸一张置张先生画桌上,请张为她签名留念,张先生当即照办。这位女士的名字叫米蒂。

过了几天,米蒂女士又出现在张先生面前,她拿了一本信纸送张先生,以表示对他的崇敬之情。张一看,每张信纸下面都签上了“张书旂”三个字,共有一百张,当即向女士致以谢意。

当他晚间回房里拿出那信纸上的签名一

看，初时觉得女士仿签的名还不错，等到把纸叠起来到灯下一照，才发现那签的名并不是叠起来模仿的，而是她一张一张信手签出来的。他深为感动，立即写了一封信给米蒂，对他仿效的签名十分赞赏，并且告诉她，他将会在她送的信纸上绘画再寄还她。张先生履行了自己的诺言。张书旂先生逝世已三十多年了，然象征着中美友谊的这段艺术史话却流传至今。

丰子恺道歉画寿星

汤光瑢

1945年冬末，著名的漫画家丰子恺，从南昌沿着正在修复中的浙赣铁路徒步西行，准备经萍乡搭株萍铁路火车前往长沙。到萍乡时，正值除夕，便留下来过年，下榻在萍乡西外老吴公茂客栈。

大年初一，丰子恺在客栈用过丰盛的早餐后，乘着一点酒兴，到萍乡城内游逛。当他见路旁有一担鲜红的桔子，许多人围着抢购，也买了两个品尝，觉得香甜可口。便想多买一点带回去，可又没带盛的东西。忽然瞥见一家小篾货店摆满了大小不一的扁平长方形的篾笼，喜出望外，立即买了一个小的，盛了五斤鲜桔，因没有提把，便双手捧着回去。

当他走到离客栈约五十米的地方，恰巧客栈老板送走拜年客人,站在店门口闲望,突然见旅客捧着个盛冥钱的篾笼回来,不觉大吃一惊。心中暗自叫苦道:“糟糕，初一大早就碰着这样一个冒失鬼！”便立即两手叉腰摆好拦截的架势。待丰子恺走到店门口正待上台阶时,只见老板一声怒吼:“呔!”便从丰子恺手中抢过篾笼狠狠地往街中心甩去。丰子恺还没回过神来,他又使个“拒狼入室”的解数,弄得丰子恺向后趔趄数步,几乎跌倒。于是丰子恺也怒容满面地责问道:“这到底是什么意思！”老板涨红着脸,嗫嚅着说不出话来，因为要解释，便得通过自己的嘴,把那不吉利的话说出来。就这样,二人像一对红眼公鸡互相僵持着，几个顽皮的孩子却在抢拾着散落在街上的桔子。

就在这紧要关头,少老板从外拜年归来,一见这情景，特别刺目的是那个躺在街上的小篾笼。少老板是个机灵聪明的人,立即意识到是怎么一回事了，便首先温和地支使着他父亲到后厅休息去了。接着就以十分抱歉的语气向丰子恺解释道:“丰先生，这种篾笼是我们赣西一带民间用来装冥中用的纸钱，用火焚化奉祀鬼神的,只有办丧事的人家才用得着。今天是大年初一吉利的日子，把这东西送上门，是最犯忌讳的。丰先生不是本地人,不了解习俗,是不能怪的。家父性情暴躁,行动粗鲁,请千万包涵！”至此丰子恺才恍然大悟，连忙表白道:“此事原来

是我错了。我没有做到‘入乡问俗’，我要向令尊道歉赔礼。”说着，就要去买彩布和爆竹。少老板拦住道：“您昨天登记号簿时，我就知道您是我国著名的大画家。我在小学时就喜欢摹您的《子恺漫画》。现在什么都不需要，只请您老分神给我们画一幅《寿星图》，我们就什么都满足了。”丰子恺果然满足了他的要求。

南昌市第一次敬老会

微　子

1946年秋，江西省实验民众教育馆馆长曾一之，征得省政府、省教育厅的同意，省商会赞助，于是年十月间，假省政府西花厅举行首次敬老会。先是从省会公安局户籍处了解到南昌古稀以上比较知名的老人约七十人，按照住址发出别出心裁设计的印有“敬老尊贤”红色金字的大请柬。被特邀的知名老人有彭程万、王有兰、伍毓瑞、欧阳武、龚师曾、王明选、程学恂、吴宗慈等，共到一百余人。会上，省主席王陵基作了简短讲话，随后由省政府设宴招待，老人们饮酒赋诗，相聚甚欢。每位老人赠蛋糕一盒，寿杖一根，留作纪念。晚上，仍在西花厅戏台演剧助兴，演员多为南昌市名票友，如徐宝元、熊筱南和名伶张美娟等。曾一之馆长因曾任戏剧教育队队长,张美娟便请他与她配戏,弄得这个名不符实的队长极为尴尬,只好拉出原平剧队的人马出来应付场面。

刘勃舒幼年露头角

黄楚裳

1947年秋,我在江西省政府任秘书,分管教育厅和卫生处的文稿审核。时值暑假,有一天,二科交际股的同仁带来两位客人,一老一少。老的是南昌师范附小的刘老师,小的是他的儿子刘勃舒。刘老师谈及他儿子会绘画并有才华,小孩很乖巧,听到此话即刻在案桌上铺好带来的宣纸,工友余某也凑热闹飞快取来笔墨。小孩敏捷地绘出两匹腾空飞跃的骏马,虽然黑白浓淡尚觉稚嫩,但一个十一二岁的孩子能即席挥毫,确属难能可贵。接着又取出粉彩在我手卷上画了一只母鸡带着几只出壳的雏鸡的图画。我对这张画特别喜爱。我想刘先生带子到官场里来,无非是一为请求资助,二为希望政府能推荐施教,用心良苦。于是带他们去见省府秘书长宋相成,宋要我带他们去见省政府主席王陵基,王敷衍几句后又推还给我。我想起教育厅长周邦道也是考试院高考的头名"状元",一定会惺惺相惜,爱才相助的。于是又带他们去教育厅找周邦

道。周欣赏了小勃舒的画后赞勉交加，喊出一科管钱的刘科长，批了个一百万元(约合现在百元人民币)。我看了很泄气，觉得偌大的厅长仅批了这么点资助，实在不像话。接着我提到对勃舒培养的问题，他却连珠炮似地说：“以后再说，以后再说。”完全是一种应付的态度。出来后，我对刘先生说，你可以致函北平美专徐悲鸿先生求教。后来徐悲鸿爱才收徒，小勃舒得以成长，解放后又靠党和政府培养，首批送苏联学绘画。现在刘勃舒已才华大展，出版了不少画册，是驰名中外的画家，任中国美院院长。新旧对比，深感新旧社会两重天，识人育材大不同。

谌毅自寿长联

涂　迅　谌月新

谌毅字宗实，江西奉新人。光绪戊子科(1888)举人。在云南工作时,政界(候补知县)、学界(两任同考官、高等学堂监督)、税务界(厘差)等均曾参预,当时同事皆钦佩其才,呼为"江西才子"。

1912年回原籍江西奉新后，又和同乡熊门道去徐州参张勋之幕为秘书，后因张勋入京图谋复辟,乃拂袖回里。

当他庆祝花甲大寿时,曾亲撰自寿联,计有二百十八字，比云南大观楼一百八十字的长联还多三十八字。概述自己的一生,颇饶风趣。当时亲友中争抄传诵,现稿多散佚,知者寥寥,故录而存之,以保留一点文学资料。

其联原文如下:

未及老而传,胡遽倏然物外?早甘心寂守穷庐,自顾亦良审哉!溯壮岁:驱驰滇海,科名仕宦,一切成尘。雪鸿泥已尽,蕉鹿梦全非!算蜃楼海市都休,家国两无关。拚从前,理乱勿闻,是非勿问,休戚勿知,只平生报不了的父母深恩,丢不了的师朋知遇,撇不开的文字姻缘,尚有余情未断。

漫云衰便已,倘再假我余龄,容醒眼重看世事,吾身固自在耳!笑浮生:历遍欢场,烛影歌声,几个相识。诗画壁间留,酒痕襟上涴!幸月彩花香无恙,风流庸讵歇。但此后,脚力犹健,目光犹强,脸皮犹薄,或有时逢得着那忘形好友,遇得着那绝代佳人,游得着那天然奇境,会须狂态复来。

上联叙其宦海浮沉,难酬壮志,有负亲友之望。下联叙其旁观阅世,放浪形骸,今犹狂态未泯。全联对仗工稳,寓愤慨于嬉笑之中,读后使人既欣赏其联语隽永,又令人同情一叹!

诗人辛际周

李　强

辛际周(1886—1957),字祥云,号心禅居士,又号灰木散人,江西万载人。幼年天资聪颖,乡里有神童之誉。十二岁中秀才,十八岁中举人。后因废科举,入京师大学堂(今北大之前身)攻读英文。卒业后回江西执教于省立第五师范学校,又任教于福建厦门大学及江西省立赣县中学有年,迨江西省通志馆成立,受聘为总编辑。辛氏为江西著名诗人,有《灰木诗存》,其女如珠近年重梓于台湾。

民国十六年(1927),辛氏从上高李兆蕃游,共招宜丰卢荣光、万载卢贞木、上高黄拱辰等,聚于上高东溪之环水庵,结吟社,相与论诗唱酬。辛氏居环水庵三月有奇,得诗百数十首,名为《灰木遁吟稿》(吟稿未收入《灰木诗存》,稿现存我处)。其中有《读后山诗》云:

> 唐人摹老杜,独见玉溪生。其体颇恨微,学步粗欲成。有宋黄与陈,各以肖杜鸣。高名震后世,孰敢轩轻评。我观鲁直诗,硬语何纵横。强弩射江海,跳荡蛟龙惊。尽饶盘崛气,未达深婉情。无己稍后出,笔曲意转精。往往深到处,直闯少陵庭。所惜胸臆

窄，悲悯隔生平。才气亦稍弱，未足掣长鲸。徒以格律较，鲁直当逊青。学黄苦得犷，学陈不失程。千古西江裔，开汝双眼明。

按陈师道(号后山，字无己)与黄庭坚(字鲁直)为宋代江西诗派代表人物，诗中论两家作品风格与表现手法，以及优劣得失，极为允当，颇得其要，可供治宋诗者参考。

抗日战争中，辛氏哀时忧国，颇多慷慨激昂之作。陈声聪《兼于阁诗话》称其诗云："集中多日本寇华时作，仓皇哀感，骎骎乎杜陵野老(杜甫)之哭。有《书愤四首》、《所闻四首》最为激越。"特各录二首，以见一斑。

《书愤》云：

悬目真看越寇来，一朝麋鹿已游台。但惊天堑能飞渡，未省长城孰坏摧。铜狄荆蘼温古恨，昆明池劫换新灰。犹余半壁河山在，支宇终资不世才。

天意骄胡叵测知，忍教尽拔汉旌旗。微闻棘灞成儿戏，谁遣韩彭误会期。食荐豕蛇欺上国，气收龙虎黯京师(时金陵沦于寇)。向来兴夏资成旅，百万而今况拥貔。

《所闻》云：

阋墙召侮咎谁尸，孤注苍黄一掷时。河朔虚攀回纥马，临淮自拥贺兰师。九州铁铸真成错，一着棋输遂不支。赖有人心犹未死，重来翘盼汉旌旗。

春光漏露几番新，叶底流莺巧蔽身。浪

说推心延国士，何图作贼属佳人。戎机尽泄禁垣耳，封事偷传入幕宾。卖国不知荣几许，会之（秦桧）千载有传薪（按此首刺当时行政院秘书黄秋岳出卖情报与日寇事）。

胡先骕的巧对和题诗

王洛臣

已故著名植物学家和文学家胡先骕，生性聪敏，记忆力强。四岁时，便随兄从奉新恩贡生熊嘉栋启蒙，以黄纸裁成方形，正面写字形，反面注字义、字音，多音多义，一一注明。每识一字，必须彻底弄明其音义与用法而后已。最初每日识四字，后逐渐加到六字、八字，终至十六字，一年识四、五千字，三年能识一万数千字，《康熙字典》中的字，全被他识尽了。塾师便课以《论语》、《诗经》、《唐诗》等。一日，自北京来客，于酒席上出“五龄小子”命对，先骕不假思索，即以“七岁神童”为答。满座惊叹！

光绪二十六年（1900）秋，父承弼出任陕西某县知县，先骕从母亲至滕王阁下送行，启程时，他用白纸画了一幅画：天上浓云密布，飞鸟孤独飞翔，地上景物萧条，一小舟顺流而下长江，舟上有人。旁题诗二句道：“连日风和雨，孤舟远客行。”承弼看后，即续成为：“可怜儿七岁，

犹识宦中情。”后先骕有诗记此事云:“予生嗜吟事,总角学咿哑。少孤未得师,望古常兴嗟。意到辄放歌,丑树漫着花。”又云:“幼时颇慧黠,极为父母爱。七岁能作诗,便有成人态。佥以远大期,廊庙曳鸣佩。”这是他回忆儿时学吟咏的情形。以他的宿慧加上苦学,终于使他在科学与文学上都成为名家。

方其道联挽刘和珍

谢永华

1925年,北京发生“三·一八”惨案,北京女师大学生会主席刘和珍惨遭枪杀,震动全国。事后,在北京各界举行的追悼会上,有一挽联云:“生未同衾,死难同穴,劳燕每分飞,六载订婚成一梦;外抗强权,内除国贼,疆场空有约,白宫溅血泣黄泉。”情真意切,言词激昂。

挽联的作者是刘和珍的未婚夫方其道,江西省定南县人,生于1893年,江西省立法政专科学校毕业,1921年在南昌《中庸报》任职,住毛家园十七号刘和珍家。时刘和珍在南昌女子师范学校读书,两人相爱订婚。1923年夏,刘和珍考入北京女师大读书,1925年《中庸报》被查封,方其道赴京任北京女师大教务员。刘和珍殉难后,方其道回到南昌,其后投入政界,宦海浮沉,乃回赣州长期居住，从事园艺，种植果木。

方其道对刘和珍一直怀念不忘。他回到赣州后，立即将刘和珍之母及其弟刘和理接来赡养，待刘母如亲母。方之子女称刘母为外婆，称刘和理为舅父。1945 年初，日寇侵犯赣州，方又将刘母连同自己一家迁回定南老家避难。抗战胜利后，始迁回南昌。

1946 年，方其道任教南昌翘材中学，因病逝世。

癸酉庐山雅集

胡迎建

1933 年夏，蒋介石避暑庐山，一时政要咸集于此。是时省府主席熊式辉邀名流于万松林别墅(英人李德立所建)，汪精卫、邵元冲、戴传贤、李烈钧、陈三立、龙榆生等纷纷入座，以慧远《东林杂诗》句字拈为韵。汪精卫率先吟成，诗云：

石廊泉槛意泠然，筚路于今四十年。
三面峰峦先得地，一林松桧渐参天。
名山不尽烟云变，古迹尤多翰墨缘。
鹿洞风流宜振起，伫看户诵与家弦。

其时李烈钧应召上山，蒋介石要他出面调停冯玉祥分裂事件，亦在此雅集，并吟诗云："匡山富岩壑，松岭有嘉闻。森森万木阴，潜虬睡深

稳。凉风发群籁,万涛振天韵。开胸获清赏,浩气如龙奋。吐纳流云雾,汛扫出苍润。众峰忽谽岈,挺秀争雄骏。相对各欣然,共尽杯中酝。”

先后有七十一人作诗,惟散原老人未落笔。他在为曹经沅编辑的《雅集诗草》作的序中云:“以笃老久废篇什,顾不弃其如喑蝉,要遮接踵,遂强一至。”可见其参加雅集之出于勉强。

李烈钧贺熊式辉续弦联

吴建威

1932年秋,熊式辉夫人顾松筠临终时,希望熊式辉娶她的胞妹来续弦, 以便能照顾好自己的子女。熊氏伉俪情深,征得岳丈顾芷同(江苏人, 清末拔贡, 分发在福建省任某县的儒学训导,晚年落籍于闽)老先生夫妇的同意之后,得以遵嘱而行。

1933年冬,熊继娶其五姨妹顾竹筠为室,李烈钧将军曾亲撰一联向熊致贺。其联云:“一顾倾城,再顾倾国;大乔有意,小乔有心”。妙语天成,“儒将风流”,协和先生当之无愧焉。

熊式辉告慰故人心

吴建威

20 世纪 30 年代熊式辉主赣时，延闽人刘体乾为省府秘书长。抗日军兴，省府迁泰和，刘患脑溢血病故于泰和上田村。熊顿失一得力之臂助，十分悲痛，曾亲撰一联以致哀悼之意。其联云："共章贡安危，大局撑持长者力；待河山完整，九原告慰故人心。"同僚之情，溢于字里行间。

上高会战纪事诗

李　强

上高会战是武汉失守后，国民党军队在抗战中一次较有影响的战役。1941 年 3、4 月间，日寇调兵遣将，纠集两个师团、一个混成旅团及炮兵联队约四万二千余人，飞机百余架，战车四十辆，以分进合击战法，分南、北、中三路向我第十九集团军驻地上高压来。镇守上高将领罗卓英以九个师约十万人的兵力，运用"磁铁战术"，设置三道阵地线，诱敌深入，集中兵力包围歼灭。

经过二十六昼夜血战，以“变内线被包围为外线反包围”的战术，前仆后继，反复争夺，予敌寇以重创。至4月上旬，敌军已陷入上高核心阵地，包围圈缩小到南北约五公里，东西约十五公里的狭小地带，敌军挣扎、突围、溃退，我军分两路追击，直至日寇龟缩到安义、南昌为止。日寇死伤二万余人，抛弃军械辎重无数。

罗卓英是广东人，保定军官学校毕业，爱好诗文，他对“赣北大捷”极为兴奋，并总结性地写下七律四首。诗云：

又报前军战鼓催，寇氛直犯上高来。休夸扫荡侵三路，且看包围奋一槌。诸葛阵图终有价，临淮壁垒不容开。应知方马埋轮日，莫使虾夷片甲回。

一夜春雷起怒波，健儿十万剑横磨。铁枪在手吾无敌，神箭当风尔奈何。不再转移新阵地，还须收复旧山河。捷书期共花争发，伫听欢声奏凯歌。

清江无恙石头雄（王克俊部对侵犯兰家桥曲水桥之敌迅速扑灭，克保清江；李天霞部对偷渡石头街来犯之敌猛击二日，卒予聚歼），拔险支危见荩忠。忍吃当前十日苦，须争最后一分功。敖峰大树遵时绿，锦水长波落照红。信我明朝终取胜，遥闻鼓角振天风。

新年勉语幸无忘，事业军人在战场。保土用能瞻赫赫，残倭败退阵堂堂。捷闻全会褒勋绩，泪洒三桥吊国殇(三桥：陂桥、石洪桥、言桥，激战之地)。且莫骄矜诸将士，扬威横揽太平洋。

吴宗慈即席题画

吴建威

1946年暑假，彭友善假庐山协和大礼堂举办画展时，吴宗慈先生前来参观，两人邂逅相遇。吴老素闻彭友善擅长人物写真，乃央其拨冗用国画速写一肖像。友善慨然允诺，立即在大礼堂中，挥毫泼墨，为老先生写照。动笔之前，友善凝视良久，若有所悟地说："先生的面貌轮廓，与罗斯福总统太相似了。"吴老听后，莞尔一笑。俄顷，肖像画成，吴老审视一会高兴地说："彭君妙笔，果然名不虚传，把老朽都画活了。"随即接过画笔，在画的右上方题诗一首。诗云：

彭君绝技信天授，挥洒笔墨归自然。颊上添毫殊不必，神妙已到秋毫巅。凝思忽若有所悟，罗斯福氏貌似焉。面庞骨骼小异耳，造化之秘孰能宣。吾闻斯语惊且愧，丘垤泰岱敢比肩。自幸余生顽且健，安贫知命

志益坚。名山胜会小离别，风萍暂合皆前缘。精神相契既有会，蛩蟨他日应相怜。

吴宗慈先生，字蔼林，江西南丰人，前清秀才，老同盟会会员，《庐山续志》、《江西省通志》主编。此诗载入《庐山副刊》的“艺文篇”中。

陈家康赋诗返延安

魏向炎

刘云僧先生，江西瑞金县人，与周恩来秘书陈家康氏，在大夏大学时有师生之谊。陈家康随中共代表团从南京梅园撤回延安时，曾赋感事诗一首寄刘。诗云：

满园缇骑残茸草，一叶春秋定战和。
耿耿此心归玉帛，茫茫来日是干戈。
遥看新贵朱衣好，顿觉苍生涕泪多。
剩有亭林书百卷，中原利病再摩挲。

这首感事诗，写了特务们对梅园的监视与骚扰，中共想和平而不可得，又将回到战场。而民社、青年两党的头目，却做了国民党的新贵，苦了亿万苍生百姓。我将把顾炎武先生的《天下郡国利病书》再钻研一遍，看看究竟天下治乱的原因在哪里！

这首诗含蓄蕴藉而感情炽烈，是一首感时佳作，也是国共和谈失败再度转向内战的历史纪录。

于右任之佚联及词

于　易

三原于右任先生，诗文书法，夙负盛名。数年前陕西、湖南人民出版社均为其出选集，由胡耀邦题签。于髯生平所作楹联颇多，惜未收入。1947年在南京时，曾书赠一联贻先外祖张简斋，集陆放翁诗句“风云未展康时略（“康”应作“匡”，避宋太祖讳），天地能知许国心。”其牢骚郁抑之气，跃然纸上。1984年秋，予游西安时，曾于某书画展览馆，见其20世纪20年代所书联语一副：“不肯低头事鸾鹤，偶然伸脚动星辰。”亦兀傲，亦豪放。1943年抗战期间，于髯在重庆任监察院长时，因某事与当局政见不合，愤而出走成都，作《浣溪沙》小令二阕，其一云：“歌乐山前云半遮（林森葬此），老鹰岩上夕阳斜（孔祥熙别墅在此），清琴远远出谁家。依旧小楼迷燕子，几番风雨冻桐花，王孙芳草又天涯。”愤世之慨，溢于言表。

南昌道情老艺人李多根

喻西金

南昌县合山李村李多根，生于清光绪年间。他从小爱唱道情，有编顺口溜的天才。因结识道情艺人王老六学唱道情。李年二十馀得风病瞎了眼睛，便正式拜王老六为师，学唱长篇道情《王篾棚翻身》。由于他生来聪明，表达能力强，把《王篾棚翻身》唱得活灵活现，初次演唱就受到欢迎，连王老六也十分佩服他的才艺。

清光绪二十六年（1900），南昌县塘东辜家发生一件婚姻纠葛，死伤多人，远近为之震惊。李多根师徒合作编成道情《辜家记》。并将传统道情伴唱乐器“三响”打法加以发展，打出了各种锣鼓点子，丰富了演唱技巧，从而唱遍了南昌市区及南(昌)新(建)两县。群众都以能听到李多根唱《辜家记》为满足。经过边唱，边改，边丰富，边完善，《辜家记》成为南昌话文道情的优秀节目。

民国七年(1918)，南昌市泥工梁茂生承包水泥门面发财致富，娶私娼胡金花为妾。花轿抬到火神庙墨水池，看热闹的人多拥挤，致使房屋倒塌在墨水池，死三十六人，震动了南昌地区。李多根编出道情《花轿记》，很快传遍南昌城乡。

李包了一部黄包车，拉着他去演出。每次出车，车后便跟着许多听众。李嗜酒，身边常带一把酒壶，演唱要先喝酒，结果把嗓子搞坏了，只得哑着嗓子唱，听众还是不减，可见他在人民心目中的份量。李多根编唱的《辜家记》、《花轿记》，民国初年就由采戏艺人改编成了采茶戏，并成为保留剧目，几十年来演唱不衰。

南昌京剧前期史略

梁镇国

清末民初，南昌就有京剧科班，如老见喜、小见喜、老福兴、小福兴等。据传，南昌地区的大商人经常去北京做生意，爱看京剧，因而南昌的京剧科班也较早地兴起。20世纪40年代，小福兴的三老板何令富说："那时我学戏还留了辫子。"这时何令富已是八十多岁了。以此推之，何令富学戏当在1870年左右。当时有著名的大花脸王福龙，还有唐双玉、六姑娘(萧玉卿)、吴金奎、钱洪吉、杨洪奎、刘少廷、王小飞、梁柏业等老艺人。直到抗日战争胜利，科班才逐渐退出舞台。但很快又组成了许多新舞台，像"合新舞台"、"民众舞台"、"正艺舞台"、"宝兴舞台"等约十多家，还有周毛豹班、袁宝堂班、周老包班、万老四班。老板有周友奎、邹子樵、饶国奎、刘富生等。他们自制了戏箱道具，自己和妻儿老小都是演员和乐手，另外还请特约演员参加演出。每年的六月十六日、十二月十六日，为定合同或辞班之日，这样每年一轮换，又出戏又出人，京剧就兴旺了。当时那么多的舞台名称都写在戏箱上面，演出都在农村，在"万年台"、"庙台"、"风雨台"、"土台"或临时搭的台上演出。演的是"庙会戏"、"谱戏"、"赌戏"、"神戏"、"包天戏"。当时艺人的生活极为清苦。

瓷偶戏的诞生

陈海澄

民国四年(1915)，浮梁知事陈安，因制作

"洪宪"(袁世凯称帝年号)瓷任务紧迫而下令禁戏,但撑公头戏例外,因它为人酬神还愿用。景德镇的陶瓷行业向来有演"行色戏"的传统,瓷工们看惯了戏,一旦无戏看,便纷纷涌到撑公头戏的台前。

撑公头戏很简单,三五只木偶,两个人,一人表演,一人敲锣鼓,唱几段祝福性的高腔即可。有一个叫陈春福的艺人,见看戏的人多,便表演故事情节非常简单的饶河戏,博得了人们的阵阵喝采。于是他大着胆改装木偶。改装后的木偶,用一尺八寸长的竹棍顶着头部,两根篾弯曲成臂膀,前面安上皮圆圈,为插刀枪或其他道具用。下面无脚。又邀请几位吊线木偶戏的同行组成福星班,正式演唱饶河戏剧目。县知事闻讯,派员下来检查,见其有嘴不会动,有睛不会转,无手无脚,完全符合禁令的规定。于是未予干涉。

民国十五年(1926),陈春福又根据木偶油漆容易发黄脱落的缺点,改木偶为瓷偶,分别以观音、韦陀、包公、济公为原型,请瓷雕名艺人"拿得稳"塑成旦、净、丑瓷头四十余个,又做神怪纸布面具三十余只。再请乐平戏剧服装店搞饶河戏的服饰,分别配上蟒、靠、褶子、宫装及各式盔、帽。同时对舞台也进行了改革,高一丈,宽九尺,台前挂"普天同乐"彩帐,两边黑漆柱子嵌金字对联云:"天下事无非是戏,世间人何必认真。"演员定生、旦、净、末、丑五人,各任该行诸角色。乐队三人,司鼓兼小锣,上手操赣胡、喇叭、箫笛兼铙钹,下手操二胡兼大锣。乐队还兼帮腔和答白。同年五月,在南昌会馆首场演出,那明亮的瓷偶,鲜艳的服饰,优美的唱腔,风趣的表演,使人们为之倾倒,观者人山人海,盛况空前,福星班之名顿时鹊噪瓷城,每日三场,连续数日。从此,地地道道的景德镇地方戏,在戏剧园圃中诞生了。

赣南采茶戏源流

周红兵

赣南采茶戏,始源于安远、雩都、赣县、信丰、石城等地的民间歌舞采茶灯。明代中后期逐步发展成为“茶灯戏”。

赣南自古盛产名茶, 安远九龙山茶为清朝贡品,醇香清秀,远近闻名。每年阳春三月,九州八府的茶商,云集于茶区,采购春茶。采茶女边采茶边唱采茶歌,歌声此起彼伏,一唱众和。茶业发展,采茶歌也不断流传与发展。至明万历年间,《插秧采茶歌》进入了绅吏的“大雅之堂”。据石城县崖岭《熊氏大修宗谱》记载:“每月夕花晨, 座上常满, 酒半酣则率小奚唱《插秧采茶歌》,自击竹拊和,声呜呜然,撼户牖。时有联唱《十二月采茶歌》。”此后,粤东采茶灯传入赣南,与九龙茶区民间灯彩结合，演变成有简单情节与人物歌舞动作结合的采茶小戏《姐妹摘茶》。后经改编并加入纸扇为道具，创造了《卖茶》、《板凳龙》等剧目。剧中人物衍变为二旦一丑，即“三角班”。继而发展到有十三场、四十多折、十余人演出的《九龙山摘茶》等茶灯戏剧，采茶灯演变成了赣南采茶戏。这由民间歌舞发展而成的戏种，具有浓厚的生活气息，鲜明的地方特色，欢快的载歌载舞的演出形式，深受广大人民群众的喜爱，因此获得迅速发展。不仅广泛流传于赣南，而且还分三支向外流传：一支沿贡水而达赣江两岸，进入万安、遂川一带，向罗霄山脉、赣西和湘中流动，波及到袁州（今宜春）及湖南长沙等地；另一支经由闽西、闽北，沿武夷山脉流传到赣东；第三支经由粤东和粤北而进入广西等地。赣南采茶戏成了南国的烂漫山花。但是，仇视民间文化的清朝统治者给它横加“淫戏”的罪名，于清代中后期半个多世纪被禁演。至清末期，赣南采茶戏编演了一些戒嫖、戒赌、戒烟（鸦片烟）劝人为善的剧目，如《大俏表哥》、《大劝夫》等，同时加入了部分弹拨乐器，使人耳目一新，呈现出一片繁荣兴旺景象。时《长宁县（即今寻乌县）志》有《灯戏竹枝词》云：“琵琶斜拨月琴张，月下争看窈窕娘。何必踏歌怜媚子，广南新按采茶腔。”自光绪至民国初期，赣南的“三角班”又曾发展到三十多个，其中有些是“灯班”。此后二十多年里，烟赌盛行，每假神会、诞

期，各地方劣绅及无赖赌徒，借戏聚赌，以赌养戏，因此“三角班”盛极一时，六十多个堂、班如星罗棋布，遍于赣南乡村墟镇。同时，涌现出名旦温叶氏、廖三崽、李九蛟和名丑邓衍海、刘中德明、温钓拐佬等数十人，人才辈出，“采茶”兴旺。1940 年，国民政府以禁烟、禁赌为名，禁演采茶戏。使艺人生活无着，人身受迫害。艺人卢勾简被抓进牢房。至 1948 年，赣南采茶戏只剩下李九蛟的“合兴堂”和朱光明的“洪平堂”，只能在穷乡僻野中寻机演出。

1949 年赣南解放，奄奄一息的赣南采茶戏才得以复苏。20 世纪 50 年代末到 60 年代初，是赣南采茶戏的又一个繁荣发展时期。赣南采茶戏曲谱得以编印出版，其表演艺术、锣鼓经均经整理印成资料汇编。《采茶歌》、《瞧妹子》等剧目唱段被灌成唱片，广为流传。《茶童戏主》、《莲妹子》、《怎么谈不拢》，更搬上银幕。从而使赣南采茶戏声望大振。

饶河戏第一个女小旦

陈海澄

20 世纪 30 年代以前，饶河戏(赣剧前身)的旦角均由男演员扮演。1922 年 4 月，江西同乐班在安徽祁门演出，班主石和尚生有一女，取名祁香。小祁香在戏班长大，耳濡目染，学会了不少戏文。七岁开始演小孩角色，口齿清楚。十三岁在都昌演出《小放牛》，亲友都为她演出成功而喝彩。次年夏，戏班回到其驻地浮梁潭口，十四岁的祁香正式提出加入戏班，引起戏班中人的纷纷议论。她的母亲也竭力反对，认为饶河戏从来没有女演员，小祁香以前演戏仅仅是好玩。挑大梁的演员也持此论。他们端出了女人不能上戏台的迷信：演戏时，女人要是上了台，就触犯了老郎菩萨，需备雄鸡一只，由花脸咬破鸡冠，将血滴洒在老郎菩萨、喜神菩萨、戏箱、前后台上。否则，黑煞星降临，全戏班遭殃。既然女人连戏台都不能上，那还能当演员！

石和尚见女儿有演戏的天赋，便挑了一个全班气氛十分融和的日子，备了酒肉请大家共饮。他说："祁香想当演员，也能当演员，要吃鸡我负责，这件事还请各位师傅包涵包涵。"大家见班主如此客气，又慑于他的威望，也知道京剧、越剧都已出了不少有名的女演员，于是都默不作声。石和尚便备了雄鸡，举行祷神仪式，祁香又在祖师爷像前敬香磕头，这才正式加入梨园，成了饶河戏第一个女小旦。

直到20世纪50年代初，饶河戏的男旦角才全部退出历史舞台。

江西省音教会管弦队

熊志成

20世纪30年代上海工部局有过一支管弦乐队，但系外国人组办，并由外国人担任演奏。及至1933年10月，江西省“推行音乐教育委员会”(简称“江西音教会”)组建了管弦乐队，这是由政府出资，中国人创办，中国人演奏的第一支管弦乐队。

江西音教会管弦乐队，是由该会主任委员音乐家程懋筠亲自聘请国内各地名手来赣组织起来的。程懋筠任指挥，赵年魁任首席小提琴(赵后赴重庆中华交响乐团任职)，中提琴由钱曾葆担任，大提琴由张贞黻、李元庆担任，钢琴伴奏由缪天瑞担任(缪后任天津音乐学院院长，中央音乐学院副院长)，并有小提琴手陈健、李九仙、陈品中、盛文龙(即盛雪)、胡江非等。这支管弦乐队阵容之强，规模之大，当时在国内是首创第一流的。

管弦乐队经常演奏世界名曲，如莫扎特《魔笛》、罗西尼《阿尔及利亚人在意大利》序曲、《塞维勒的理发师》序曲、奥芬巴哈《船歌》、苏菲《骑兵进行曲》、《诗人与农夫》序曲、瓦格纳《婚礼进行曲》等。

音教会在创办管弦乐队的同时，在南昌湖滨公园(现八一公园)内,建筑一座非常别致的“江西省推行音乐教育委员会”湖滨音乐堂。它是一座露天音乐厅,厅成“碗形”,这在当年是颇为现代化的。音教会管弦乐队及合唱队,每周末都在这里举行音乐会，爱好音乐的人士争先恐后而来,尤以夏季更盛,热闹非凡。有趣的是,音乐堂四周仅用木桩铁丝围绕成栏，经济条件好的购票入内欣赏，买不起或不想买票的人可在栏外欣赏,同享乐趣。这支管弦乐队的演出,在当时大长了音乐界的民族自尊声威，为普及推广西洋音乐知识，提高群众音乐欣赏水平起了相当的作用。

廖大可配奏得佳偶

梁镇国

民国时期,南昌有一家“真真照相馆”,老板陈菡舟办了一个“票房”,也就是京剧爱好者集中练唱的所在。当时陈全家都能拉拉唱唱,并且经常邀请社会上一些票友名流参加，其中有一位名票琴师廖大可(心远中学音乐教师)。戏剧界俗话说“演员需要票友捧,票友更需演员帮”。南昌只要有名伶来演出,首先要来票房拜访,票友们一定包场或买票捧场。20 世纪 30 年代,“德胜大舞台”来了一位名伶——汪派文武老生汪鸣銮女士，她拜访了真真照相馆票房，陈老板设宴热情接待。席间问汪有何困难，汪说：“第一天演出《乾坤圈》无人吹笛，琴师又病了，请陈先生大力帮助解决吧！”当时廖大可不仅胡琴拉得出众，笛子也吹得非常有特色，汪鸣銮就请廖为她配奏。廖大可对《乾坤圈》这出戏的唱腔一点也不会，汪就一句一句地哼给他听，廖大可记谱能力极强，只一二遍就完全记下来了。演出时，一个唱得舒畅，一个配奏得精彩，真是红花绿叶，相得益彰。观众都赞美不已。

三天打炮戏，场场爆满。廖、汪在台上配合默契，心心相印，萌发了爱情，欲结为伉俪，可是双方家庭都反对，一方说她是“戏子”，一方说“一个穷老师”。但是，千难万磨情不移，廖大可与汪鸣銮毕竟如愿以偿，有情人终成眷属。所以，后来友人们常和廖大可开玩笑说：“你夫人是吹拉来的。”

白玉昆被困洪都

龚 屏

名伶白玉昆，乃周信芳之早期门人，因其技艺酷似乃师，故有“小麒麟童”之美誉。

1936 年秋，白玉昆从汉口应聘来南昌演出，献艺于江西大舞台。三天打炮戏为《战皇城》、《斩经堂》、《追韩信》，当即轰动全城，门票被抢购一空。在观众一再要求下，先后又演出了《清风亭》、《四进士》、《乌龙院》、《定军山》等麒派名剧，真可谓一时之盛。

本来，按合同来南昌演出为十五天，包银按票房收入得四成。讵料江西大舞台的老板胡云龙，凭借其青帮势力，在结账时公然毁约，只给白玉昆三成。白据理力争，胡置之不理，双方言语之间发生冲突。胡某自恃为拳师，悍然动武，白忍无可忍，与之抗衡。毕竟白玉昆武功不凡，三拳两脚便将胡某击倒在后台。顷刻间，胡某的徒子徒孙一涌而上，将白玉昆打得遍体鳞伤，口吐鲜血，逐出剧场。其"行头"(即戏剧服装)为胡所扣，扬言要致白于死地。

白只身逃出剧场，几无安身之地，只得去官府申诉。当时警察局的一些官员乃胡某的同帮，不予理会。白告状无门，彷徨街头，后经友人指点，找到当时南昌号称"小孟尝"的京剧名票陈菡舟。这位陈君也是个怪人，他原是保定军官学校毕业，曾任少将级军官，后弃官不做，在南昌民德路开了一家真真照相馆。他是一个京戏迷，以京剧为乐，一家父子媳妇都是票友。白玉昆找到陈菡舟，声泪俱下地向陈说明自己的不幸遭遇后，陈慨然仗义相助。经其转请军界头面人物向胡某说项，乃得转圜，包银按原定票房收入四成付给，"行头"发还，白玉昆乃得返沪。

自此以后，全国各地名伶甚少来南昌演出，怕被戏霸所欺。直到解放后，南昌剧坛百花齐放，大显光辉，于是梅兰芳、马连良、荀慧生、谭富英、裘盛戎等一代名优均来洪城献艺。

分宜禁演《打严嵩》

吴 鸢

严嵩(1480—1567)，分宜县介桥人。明世宗朱厚熜(年号嘉靖)时，任武英殿大学士达二十年之久。与子严世蕃结党营私，残害忠良，祸国殃民，人所共愤。可是京剧《打严嵩》解放前在分宜境内是不能演出的。

记得1941年夏，我在国民党第七十四军任职，军部及直属部队驻分宜县城，为举行军民联欢晚会，军部京剧队、话剧队演出三天。第二天节目中有京剧《打严嵩》。海报贴出后，全城哄动。严氏族人立即向军部递交请求停演《打严嵩》的呈文。县政府、县党部等机关也出面解释。大意是在分宜人心目中，严嵩不坏，坏在严世蕃，所以在分宜是从来不演《打严嵩》这出戏的。我们入境不问俗，才惹起这场风波。事后，军长王耀武、政治部主任易芳昱、副官处长赵汝汉和我同去介桥向严家道歉，在祠堂里见到珍藏的严嵩画像和严嵩用过的朝笏。

蒋方良客串苏三

梁镇国

20世纪30年代兴起的新兴大舞台的班主苏维坤，在南昌颇有声名，抗日战争爆发，苏维坤领班迁往赣州，在群乐剧院演出。20世纪40年代初，蒋经国正任赣州行政区专员。这时他的苏联籍夫人方良热爱京剧艺术，求教于名旦童秋芳、苏惠兰，学会了《苏三起解》一折。在1943年秋季的一次庆祝晚会上，蒋方良客串演出了《苏三起解》，由名丑赵天鹏扮演崇公道，蒋方良演苏三，苏财宝操琴，周文涛司鼓。蒋方良扮相漂亮，嗓音也好，演得很有气度，获得观众赞扬。外国人演京剧，在江西来说，蒋方良女士可称得上是第一位了。

金针绝技黄石屏

王洛臣

黄石屏(1863—1923)名灿,清江(今江西樟树市)程坊村人。幼好习武艺,尝以鸡毛掷远,初时仅尺许,后逐渐增至数丈。又练习十指功夫,开始用斗盛米,以手指插击,久之,米一击尽碎。于是又转向砖墙插击,墙亦为穿成孔洞。1963年笔者至清江访书时,犹见其故居砖墙上有指穿孔洞,累累满壁。时晤及其从孙黄颐寿,为我们讲了石屏医师的医术和医德方面的许多遗闻轶事。

石屏精针灸学,所用金针长尺余,不用时,

圈套在左手中指上，用时右手取下拉直。故常脱手扎飞针。这是由于他练就有高超的武功，所以才能这样脱手扎针。这是一般医生无法做到的事。

民国二年(1913)夏，石屏因乡人黄家杰(清翰林)之介，入闽为人治病，未及旬日，针到病除，经他治愈者多至数百人，名大噪，获酬数万金。著名文学家侯官谢叔元为撰《江西黄石屏先生医德叙》，六年(1917)，又为撰《说医赠江西黄石屏先生》。是年6月，由状元公南通张謇复为改撰并书。我尝见之，正楷大一寸余，一笔不苟，娟秀可喜，足证他对石屏的敬重。石屏著有《针灸全述》一书行世。

民国三年(1914)，袁世凯患偏头风症，久治不愈，经张謇推荐黄石屏医治。石屏入京，为袁世凯扎两针立愈，袁世凯送了他三万元的酬金。

一代名医张简斋

廖作琦

张简斋(1880—1950)，南京人，祖籍安徽桐城。从20世纪20年代至40年代末，历任中国国医学会理事长，南京及重庆中医师公会理事长，名扬中外，誉满朝野。张生于中医世家，身材瘦矮，右脚微跛，貌不惊人，但博闻强记，精力充沛。笔者曾为其近亲，追陪杖履有年，现简叙其医术与医德点滴于此。

抗战前，张住南京，因其妙手回春，声名鹊起，国民政府主席林森亲题"当世医宗"一匾贻赠。1940年冬，行政院长孔祥熙等许多军政上层人士，在重庆市百龄餐厅为张庆祝六十大寿，圣裔奉祀官孔德成(现台湾考试院长)亦曾小楷恭书颂文一幅贺赠。1945年秋，蒋经国在重庆浮图关三青团干部训练班对其学生讲话时曾说："人只怕没有真才实学，如有真本领，是不怕人家不知道的。譬如张简斋医生，你如果要坐黄包车去看病，只言到张某家，车夫自会把你拉到门口。"可见张的声名广为传播。

张简斋在重庆每日门诊百余人，从午后一时至晚十时许，午饭亦于医案上就食(他人则为晚餐)。看病时，两手分诊乙丙二人之脉，口述甲之处方，一心三用，世间罕有。案左右分坐门人二，代书处方，然后由张核定。疑难病症多能药到病除，特长于妇科、内科、儿科。论者谓其用药大胆，能创新，不墨守成规。

晚十时许门诊毕，略事休息，十二时左右出诊，则多为达官贵人家，以小轿车相迎，按路程远近排列次序。前车一开，后车如长龙尾随，极一时之盛。其中如有平民邀请，张路经其处必下车诊治，虽卑巷陋室不弃也。出诊毕，则天已微明。常年如此。以瘦弱之躯耗此精力而不竭，实属惊人。

张在重庆一天之诊金收入，有人曾为之核计，约等于当时国民党中央部会十个科长一月工资之总和。张与军政显要皆有交情，自然不收诊费，然每逢年节所得馈礼则更为可观。对贫困病者，免费诊视，每日送门诊病号十个；遇特穷病者，还在处方上写明免费送药，由药店与张家结账。

1945年冬，美《生活》杂志驻重庆特派记者白修德，曾偕一女秘书来张寓访问，写专稿刊于1946年春《生活》某期，首言："现在重庆最忙的人，不是TV宋(宋子文时任行政院长)，也不是陈诚(军政部长)，而是一个中医张简斋。"

张以一布衣周旋于"名公钜卿"之间，洁身自好，谨言慎行，不介入政治。常告诫子弟："君子不为天下先。"自撰"不谏往者追来者，尽其当然听自然"一联，请陈立夫先生亲书悬于南京客室。1950年夏，张病逝香港。

1990年2月，陈立夫先生应笔者之请，重书该联为赠，书法苍劲，以九十高龄老人犹有此腕力，殊为可贵。

喻　松

辛亥革命后，一提起孙馥棠，南昌城乡鲜有

不知者。郊区农民亲昵地称他为家乡郎中,城里人信服地称他为麻、痘神手。那时,我家住在孙先生开业的二郎庙,且与他的三儿仲樵同学,因而对孙的待人接物见闻较多,爰扼要记述如下:

孙馥棠(1862—1937),号诗蕙,南昌县人。出生于中医世家,自幼随父习医。他禀赋独厚,不数年已熟读中医经典著作。及长,深感麻疹、天花广泛流行,危害儿童生命,乃决心师事万名采,专攻麻、痘儿科。孙先生负笈从师,走遍南昌、新建两县,潜心钻研,加以名医指点,学术豁然贯通,三年尽得其学。

孙先生开始挂牌,便订了几条规矩:随到随诊,不分昼夜;诊金从低,决不允许拆包计较(当时诊金悉用红纸包着);贫病送诊,酌情赠予药费。这三条,孙先生毕生遵循。

孙先生看病极为认真, 细心观察, 详加询问;遇哭闹患儿,反复检查;务使其平静,以避免误诊。对选方用药尤为严谨, 既师古而不泥于古,又善于照顾全面并突出重点,故疗效极高。民国初年, 治愈江西省著名人士彭泽欧阳霖绰号"聋子"的独生子患天花一事,远近传闻。孙先生是在患儿病势垂危、群医束手的情况下被邀去诊治的。见病孩痘顶下陷,气息奄奄,业已形成毒火攻心(败血症),但体质尚可,极宜重剂内托挽救。处方用"内托散",加"蒙自桂"和"别直参"。一服,危情改善;二服,痘顶隆起;三服,化脓结痂;继调治半月而痊愈。

此事传开，南昌市民咸颂馥棠先生回生有术，他那小小的诊室越发门庭若市。盛名之下，孙先生毫不自满，反而勤奋攀登，究研医案，总结心得，编写教材，启迪后人。

孙先生勉励后学以“医乃仁术”为座右铭。当讲到医德、医术关系时，他举上述病例明确指出：“挽救病儿于垂危，其关键只是加了‘蒙自桂’和‘别直参’；不用这两味药，‘内托散’显不出效力。可是，摸不透患儿病情和体质者，不敢用；缺乏父母心肠和负责态度者，更不敢用。这说明医德与医术是互为因果相辅相成的，缺一则不为功。”济世救人之心溢于言表。故先生的医术医德，至今仍为人乐道。

萧俊逸论大黄

欧阳球琳

萧俊逸，江西吉安人。出身中医世家，自幼随父习医，行医已六十余年。由于平生处方喜用大黄，善用大黄，且用大黄治疗病患，多奏奇效，与大黄结下了不解之缘，故有“萧大黄”之美誉。

1947 年秋，家父突患腹痛泄泻，一日数十次，日夜无度，口渴尿赤，连续八九天，求医三四人，均以止泻药止之，俱无效。后抬至吉安市请萧俊逸医师治疗，萧诊脉后，处方连用“三黄”

(大黄、黄连、黄芩),佐以银花、丹皮、赤芍等,我见之大惊失色。意度"三黄"俱为寒药,尤其大黄,素有专攻下焦之说,服之恐有大误,面呈焦虑。萧俊逸见我脸色,问道:"先生,你是否对处方有看法?"我答曰:"小时曾从师读过《药性赋》,家父本乃泄泻,如用大黄,其无碍乎?"萧笑而答曰:"君知其一,不知其二。用药之道,必须首先了解病理机制,若对本病的病理机制不明,按中医旧说,默守陈规,则绝不能得到合理疗法。历史在发展,科学在前进,古代医学理论也要发展,不能一成不变。古时学者限于历史条件,我们处于科学昌明的今天,对于医学理论,临床处方,必须按照科学的方法,不能因循守旧,故步自封。"我说:"先生之言极是,但大黄攻下,总不能以科学之说而改其性。"萧曰:"君知否?大黄苦寒无毒,以其块大色黄故名,其别名称黄良,黄称色,良称效;又以其推陈致新,勘定祸乱,以致太平,所以有将军之号,是言其攻而非说其猛烈。用大黄的目的,对于局部疗法是清肠消炎,对于全身疗法,是清血解毒。令尊处方用大黄,非为攻泻而设。不能认为病人多日未食,已泻过多,而不用大黄。有人以为使用大黄,泻下次数必越多,而人必越危,致使有效良药弃而不用,而病不能早日痊愈。应知令尊所患系'漏底伤寒',若不急用'三黄'以清肠解毒,燥湿止泻,则很易酿成肠出血、肠穿孔之危险。我临床观察确切,必须重剂追服,一日二剂,方能见效。"

经萧先生释疑，照其所嘱，连服三日，家父腹痛减轻，泻次减少，经再服原方三剂，一日一剂，病尽去矣，不亦神乎！

儒医童心传

涂　进

童心传，名贡薪，余江县豪岭童家村人。世代书香，祖父童希宪，同治五年(1866)进士，父为秀才，后来行医。心传先生光绪四年(1878)生，二十岁中秀才，后因废除科举，遂于乡间执教私塾。二十五岁时，先生一幼子患麻疹不治夭亡，乃发愤自学中医，闭门谢客，泛览医籍，昼夜揣摩。不数年，医道大进。先生行医以济世为本，不论贵贱，悉为尽心诊治。三十岁时，已名声鹊起，余江、贵溪、鹰潭一带有“天上有神仙，地上有心传先(先生)”之说。其医德之高尚，医术之精绝，至今尚为人津津乐道。

1928年余江洪岩区（今马荃乡）区长童达三，备轿接先生上门为其妻治病，据称其妻烦躁不安，食后即吐，恐有大病。先生切脉之后说：“脉象滑，乃是有喜。呕吐乃妊娠之反应，不必过虑。”童达三口称宗叔，连连道谢，即置酒款待。饮酒间，先生注视童达三良久不语，童达三深感有异，问道：“宗叔，你这样看我，莫非我也有病

了？"先生点头道："正是。你身上隐伏着一种'厉疾'，不治，将益深。"即挥笔开了"加减五石汤"。童达三一再道谢。八个月后，其妻果然生下一个女婴，童达三大喜，设家宴谢先生。先生问："上次开的药方，可曾服过？"童达三说："服过，服过，好多了。"先生摇头说："非也。你是在骗自己。你的病已到中期，如不及早治好，睫毛必将脱落，后悔无及矣。"童达三大吃一惊，不敢怠慢，于是去南昌医院检查，果然是患了"麻风病"。童不敢声张，仍请先生医治。先生妙手回春，药到病除，几个月后，终于治愈。

1943年，国民党第二十六军军长丁治磐请先生给其妻治病。丁军长介绍："已请过上海、南昌军医处的医生，均治疗无效，太太骂他们是饭桶。"童先生不置可否，将他们的处方一一看过，然后下药。军长太太见方子上有好几味补药，还外加五钱高丽参，心中非常高兴，说："那些饭桶说我不能吃补药，难道那些普通药能治我的病？童先生真是高明。"太太服了药，第二天病就好了大半，几天后，病即痊愈。军长为先生设宴饯行，由中校医官作陪。席间，医官向先生请教，先生说："医官处方无差，余所用主药，与汝无异。只是医生对病人心理，不可不究。故余用主药治其病，用人参治其心。人参于太太之病，非但无益，反而有害，故又加莱菔子，以纠人参滋补之偏。"医官听毕，拍案叫绝。

心传先生行医五十余年，终年七十八岁。

清末民初的发髻式样

胡　蓉

清末民初，妇女发髻式样繁多。前梳刘海后梳一小辫而上跷者，称为“冲天辫”；前梳圆庞髻后梳辫者，称“葵花红”；头顶后领梳二洋髻者，称为“子母结”；前刘海发左右分梳垂下者，称为“牧羊结”；前刘海上卷洋针而左右有两尖角者，称“燕尾髻”；前发左右分梳两小辫者，称为“蝴蝶须”；梳两小辫如蝴蝶须状而盘成髻者，称为“蜗牛髻”；头顶中央左右各梳成一圆庞髻者，称“半朵梅花”；前两角挑起一些发，梳成两辫，归入后面髻发，并为一处者，称为“三星辫”；将头发左右分梳两辫，而后并缀在一起的，称为“双龙辫”；前后梳上而顶挽成圆髻，称为“高丽髻”。凡此种种，多出于上海妓女，时以意翻新，富贵人家争相仿效，自光绪末以来，妇女妆梳，无良贱上下，无吉凶之分，只须一女别出心裁，即风靡一时，亦可概见其时之社会风气。

献　　新

杨　昊

铜鼓郊区农村，昔时新产的稻米、蔬菜，素有先向官府献新请赏的乡俗。著名献新优质产品有：温汤的早禾米、槽口的辣椒、上源的黄瓜、枫槎的红萝卜、石窝洞的观音豆、三眼塘的茄子、寨上的白萝卜。

农民采摘第一批成熟产品拿去献新时，要穿着整洁，将几斤新菜放在铺垫红纸的托盘里，端着走进官厅，先请门子(负责看门传达)报知同知(民国为知事、县长)接受献品。农民前来献新，地方行政长官不会怠慢。晚清时期，同知亲自接纳，端立签押房(办公室)前，由跟班引导献新农民晋见。农民得将托盘双手举过头顶单腿跪献(民国改行鞠躬)，颂扬几句幸赖德政广庇喜获丰收的恭维话，然后同知亲手接受献新产品，转交庶务取去，俯身单臂挽扶农民起立，并进行礼仪性的嘉奖慰勉。待到托盘拿回时,其中必放一只红包,一般内装奖赏银元一块(时值约一百二十斤谷价)。农民领谢后,辞出衙门。

曾经亲见献新礼仪的帅明星老婆婆（九十岁)说:“民国初年,县公署唐知事接受帅尚德献送一斗(十五市斤)早禾米时,县衙燃放花爆迎新志庆，奖了两块银元，还留在官厅食堂吃午饭。”当日,衙前墙上贴出一张红榜,全文如下:

铜鼓县公署告示

照得公署施政,主旨奖励农桑。
温汤帅尚德者,种植早稻有方。
夏收节日刚过,开镰收割归仓。
不佞忝长县政,迎来新米先尝。
五谷丰登在望,同庆国泰民康。
喜张红榜昭示,仰我士民知详。

知事唐祚庆

中华民国四年六月初八日

知事贴出这类公告,一为表现施行仁政,对勤劳农户慰勉有嘉;二则通知早米已经吃新,后者不必来献。以往不同年度,槽口林贵吾、卢荣新献过辣椒,寨上吴炳桐、王俊武献过白萝卜,上源凌铺仁献过黄瓜,三眼塘沈桂英献过茄子,石窝洞九妹子(卢韶秋)献过观音豆,枫槎张则先献过红萝卜。种植者精心栽培,争先恐后,献新礼俗,蔚然成风。农民献新得来奖金,珍惜留藏,用付子女延师教读束脩(薪俸),或为父母长辈诞辰献寿礼,形成了乡里的风习。

搜 傩

刘之凡

傩，是古时候驱逐疫鬼的一种仪式，据学者考证，殷墟甲骨文卜辞即见记载。大抵是殷商以前，原始先民屈于生产力的限制，为超越、征服自然而强化自我，伴随着对鬼神萌生的朦胧意识所产生的。周王朝制礼作乐，把傩定为一年三次的宫庭祭祀。“不语怪力乱神”的孔圣人见“乡人傩”，也诚惶诚恐“朝服而立于阼阶”。这就为后世留下“国傩矣乃大傩焉”之说。记述得更加具体翔实的是《后汉书》、唐《乐府杂录》等典籍。元末南丰刘镗写的《观傩》诗就越发形象、生动。这原属古代史话。时逾千年，南丰民间流传的“搜傩”，仍然保留着汉唐驱傩的斑斑风采。

距南丰城西四十华里的三溪乡石邮村傩班，是明宣德年间(1426—1435)组建的，每年夏历正月十六日举行“搜傩”，“赫厥声，濯厥灵”，较之古时虽有变易，但遗迹依稀可见，场面十分壮观。

该日，石邮村“春灯赛罢又迎傩”，热闹非凡。满村楹联辉映，灯采耀眼，“元宵节”的烟花爆竹纸屑，红绿遍地。家家宾客盈门，户户酒肉飘香，男欢女喜，笑语飞扬，古老的山村歌声荡漾，真也别有一番情趣。

入夜，神铳三响，报告“搜傩”准备就绪，一时，男女出动，老少争先，涌向傩神庙，挤得水泄不通。庙内，点亮十几对红烛，最大的长有一米，粗八厘米。香烟缭绕，烟雾弥漫。礼仪正式开始，神铳轰鸣，鞭爆震耳，金鼓铿锵，傩弟子(演员)穿着整齐，由大伯率领，在神案前依序肃立，顶礼膜拜，待锣停鼓歇，全堂肃穆，大伯跪诵祷辞，恭请神祇驱病除邪，保佑合坊平安吉庆。礼毕，三名演员戴上面具，一人扮钟馗，二人扮大、小神，然后神铳开路，爆竹送行，锣鼓大作，唿哨不断，火把照明，冲出庙门。一行人等，先去参拜福主、社令，再往各屋搜除。全村民房，不分大小楼层，均各自备有喜爆香烛，傩神一到，点烛鸣爆，全屋大小，执香迎于堂前，是谓“接傩神”。鼓手在门前唱赞歌，喝彩辞，一呼众应，钟馗先进屋，摇头抖肩，屈肘挥臂，威灵显赫，展现出无以匹比的慑服力。接着，大、小神手持铁链，铮铮有声，先后跃进，将铁链掷于地，收拾起，意在“束邪”。如此逐屋搜遍直至全村，再到村旁柏丈溪滩头占卜谢神，将火把弃之水中，才悄悄回庙。夜静更深，全村寂然，搜傩方成，本年活动始告结束。

与汉唐驱傩相比，只是方相氏率十二神兽舞为钟馗、大小神所代替，诗歌对答犹如《后汉书·礼仪·大傩》中所云：“中黄门倡，侲子和。”种

种仪仗,无异于“欢呼,周偏前后省三过”,“送疫出端门”,“传火弃雒水中”。难怪人们把搜傩称之为中世纪庙堂祭祀的再现。

渣饼合同

陈海澄

渣饼,是瓷坯进窑烧制时垫着底部的附属物,烧成瓷器后便成废弃物。合同,人们会想到买卖双方签名盖章的文书。殊不知景德镇在相当长的时期内,在瓷器的原材料交易方面,用的是渣饼合同。现举瓷土交易为例:

运瓷土的船只到镇后,即到专事瓷土交易的白土行请为代卖。白土行与窑户成交后,便取一块渣饼敲成两片,各写了瓷土的牌号、数量、取货码头。按习惯,断裂线凸出的一片由买主收执,凹进去的一片由白土行转交给承运瓷土的船主。

船主收到白土行交来的半片渣饼,立即将船开到片上标明的码头,等待卸货人的到来。另一方面,窑户将另一片渣饼交给卸货的箩夫。箩夫们来到河下,领头的便按渣饼上标明的牌号呼喊:某某的船在哪里?船主应声接洽,互对半片渣饼,于是,一块破裂两片的渣饼又合成一块了,加之数目相同,牌号相同,码头相同,这就完全对上了合同,于是船主照数发货。发货完毕,船主持渣饼合同与白土行结账。

这种交易方法看起来似乎很原始,但准确率百分之百。一直沿用到解放以后。它的起始时间尚不可考。

别具一格的入赘——“开村”

萧光明

樟树市西北近郊的黄家垴,是个六十多户近三百人的村庄。每年冬闲,各户均操篾业,编织装药材的黄篾竹篓,销售量大。

黄家垴向有后生(年青男子)“嫁”到外地去落户的习俗。这样的后生备受村里的尊重,俗称“黄篾篓子”后生去“开村”。

后生一旦与外地的姑娘订下婚,一月之内就不再下田做事了,在家筹办婚事。此时村里家家户户轮流以上等酒茶招待他,为他祝福。去“开村”时,要为他举行“送嫁”仪式,而且一般选择在正月十五以前进行,因为这时民间茶灯正盛,可图个吉利,抱上个“茶灯崽”。

“送嫁”仪式在祠堂里隆重举行。祖宗牌前,摆好香案,摆上三牲祭品,点燃香烛,敲锣鼓,放鞭炮,喜气洋洋,气氛热烈。大厅中央还要摆上一桌丰盛的酒菜。由主持仪式的尊长偕同各房长者,至“开村”后生家里将他接至祠堂,其双亲也随之而来，待入席后，便由同年男子上来陪酒。各家纷纷送上礼物。接着,尊长双手捧着个茶盘，将里面用红缎包着的一把新篾刀和一枚新补针送与“开村”的后生。意思是说,要他把祖传的手艺带出去,到了别的村庄也要代代相传。后生接过礼物，恭恭敬敬地跪下拜祖宗、拜父母、拜族中长辈,然后,便由请来的教书先生代读“黄氏祖训”:

打马奔驰去他乡,男儿随处可开疆。
远游外地非无情,久在他乡即故乡。
得志莫忘双亲苦,传家篾刀总飘香。
祖宗保佑生贵子,黄家祖上又添庄。

上面这则“祖训”,为民国十一年(1922)所编。

“黄篾篓子”后生到外地“开村”,生下了男孩要姓黄,学篾工,上黄氏正谱。生女孩也姓黄,也可以上正谱,破了女子不能上正谱的习惯。

此俗以前受外村人鄙视,解放后,这种观念改变了。

表嫂茶

周英才

安福人看重喝茶，尤其喜欢饮用自产自制

的"家茶"。他们待客敬茶,三餐泡茶,馈赠送茶,聘礼讲茶,结婚喝茶,做屋散茶,随事都离不开茶。最为奇特的要算农村妇女中流行的"表嫂茶"。

一年一度的"表嫂茶",是从"元宵"节后农历正月十六日开始,以自然村为单位(大村庄分地段),每天早饭过后,从村头的第一家开始,一天喝一家,家家要轮遍,一直喝到村尾的最后一家叫"洗茶碗"才告收场。若是遇到季节来得早,进入春耕大忙,白天没功夫喝,晚上还要补喝。

喝"表嫂茶"的方式很特别。大家既不要请,也不要邀,约定俗成,到了这天,茶客们房门一关,端起自己常用的大茶碗,带着小孩子赶茶去了。茶碗上还系着五色丝线或花布条,临风飘曳,意味着春暖花开,吉祥如意,也是各自茶碗的记号。

请茶的东道主,这天要很早起来烧好几罐开水。待茶客们差不多到齐了,就将一把自制的"家茶",一根五寸长的篾棒,还有自制的兰条(一种用胡萝卜加工的特产)、冰姜、韧皮豆、蜜桔皮之类的"点茶",一起放入她们的茶碗中冲泡。不论那家轮到做东的主妇这天都会显得很大方,把装"点茶"的坛坛罐罐都搬出来,好像相互在比赛,谁家茶碗里放的花样越多,就越能显示她的能干和富有,也表示她的慷慨大方。

喝"表嫂茶"既随便,又浪漫。不讲究规矩程式,也不要高桌矮凳。厅堂灶下,走廊过道,都是就坐的地方。茶泡好了,茶客们就寻着自己的茶碗喝了起来。

这种茶味道也特别,又香又甜,又辣又咸,还有点苦涩味,喝惯了这种茶的人会上瘾。据说这种茶开胃爽口,还可以化食。因为茶碗里放的各种花样多,边喝边用篾棒在茶碗里搅动,就是喝上十来碗味道还是很浓的。表嫂们喝茶的功夫是惊人的,不怕烫嘴巴,不怕胀肚皮,只要你添得快,她就喝得快。当她们喝到兴浓时,喜欢唱歌的表嫂就会情不自禁地唱起民歌来:

三月采茶正相当,又逢农家莳田忙;
采得茶来秧又老,莳得田来茶又黄。

表嫂们喝喝唱唱,唱唱喝喝。大家用茶碗盖轻轻地撞击着茶碗,叮叮当当,用来伴奏,沾腔落板,很有风味。一直要喝到茶碗里的"点茶"全部嚼光,才算完了。

"表嫂茶"在安福由来已久,尤以南乡与西乡山区一带盛行。据县志载,早在清乾隆年间就兴起了这种风俗,旨在搞好妇女之间的团结。所以在喝"表嫂茶"时,只要是本村人,不分长幼尊卑,不管赵钱孙李,统统一视同仁。即使过去相互之间闹过矛盾,茶是一定要喝的,不请喝或不来喝,都会受到众人的指责。喝了"表嫂茶",不管过去矛盾深浅,从此一笔勾销,重新和好,因此,妇女们都愿意参加这种体面的活动。

这么多的表嫂相聚在一起,嘻嘻哈哈,有说有笑,有喝有闹,其场面真是热闹非凡,表现出一种团结和睦、情长谊深的融乐气氛。诸如种养信息，城乡买卖，婚姻嫁娶，往往是在这种场合下，交流撮合的。所以参加喝表嫂茶的都是当家妇女，没有出嫁的妹子是不能参加的，真是名符其实的“表嫂茶”。至于男客们那就更要靠边站了。

岳飞点将台

欧阳球琳

我曾多次经过新淦县荷浦与界埠相交之山畈中，见有数土堆高低不平，且上端平整。村人告我曰："此为岳飞点将台故址也。"后至县城请教清末秀才刘松峰，他告以：南宋绍兴四年(1134)，岳武穆奉檄出师江西，屯兵新淦，曾于此筑建点将台。计有七步台一座、五步台二座、三步台一座。七步台为主帅岳飞点将之用。五步台在七步台两侧，左为王贵之指挥台，右为汤怀之指挥台。三步台居七步台之下，为岳飞之子岳云等将领护卫主帅而设。七步台高二丈有奇，宽约半亩。点将台四周视野开阔，一抹平川，登临台上，能远眺滚滚赣江，背倚郁郁葱葱的丘陵，诚为教演操练之佳地。

点将台口碑所述，难以尽信，后查宋人赵与时所著《宾退录》，内云：宋绍兴癸丑年(1133)岳武穆提兵平虔(今赣州)吉(吉州，今吉安一带)群盗(乃指赣州、吉安一带的农民起义)，道出新淦，题诗青泥市壁间云：

胆气堂堂贯斗牛，誓将直节报君仇。
斩除顽恶还车驾，不问登坛万户侯。

此诗后人刻于石碑上，名为"岳忠武碑"，藏于新兴寺。新兴寺在荷埠街附近，后改为小学校址。我曾至亲瞻碑刻，见存一室内，斜断为二，平置于地，高约二米，宽约一米。碑中刻字约八厘米大，字系行书，遒劲有力，雄浑豪放。经核赵与时录诗，后二句与碑刻略有不同。赵记："斩除顽恶还车驾，不问登坛万户侯"，碑中之"顽"字为"元"，"问"字为"用"。根据传说与文字所记，岳飞至新淦年间相同，其在新淦屯扎期间，筑台指挥练兵，当有此事。现新淦荷浦与界埠之间有三处村名取用"武湖"、"穆湖"、"侯府"，就是拆"武穆侯"三字而成。

洪阳洞

章琳

洪阳洞，又名严嵩洞。据《分宜县志》载：“东晋道学家葛洪偕同娄阳，访遍江南名山大川，从玉山县三清山转来分宜，曾在此洞修道炼丹。”故名洪阳洞。民间又叫“严嵩洞”，因洞离严嵩的老家介桥严家只有三里路，风景宜人，环境幽静，严嵩少时曾在此洞读书。分宜县流传有“狐仙伴读”、“吞食夜明珠”的神话故事。

洪阳洞位于分宜城南五公里，袁岭第三峰南麓，青山环抱，绿水潆洄，怪石巉峨，洞深莫测。据《分宜县志》载：“洪阳洞有石室十七、石穴七十二。”洞前悬岩危矶，洞口宽敞。原建一亭，后毁。石壁上横镌“洪阳古洞天”五字，至今依稀可辨。全洞以自然形状划分为十二段，异石奇壁，千姿百态；钟乳嶙峋，满目琳琅。根据各种自然形状，古人美其名曰：“啸虎”、“蹲狮”、“栖凤”、“银峰”、“盐池”、“石螺”、“石蟹”、“石鼓”、“石翁”、“仙伞”、“妇媪”、“稚童”、“擎天柱”、“寿星翁”、“土地神”、“通天窍”、“流云托月”、“壶里乾坤”、“别室洞天”、“空心石磨”、“云窝雪崖”、“嫦娥奔月”、“鸡肋相望”、“丘壑石笋”、“云海悬钟”、“流云玉宇”、“石燕纷飞”、“张帆行舟”、“清溪一泓”、“翠屏迭嶂”、“红紫交辉”等等，出自天然，人莫能为。由于洞中景色奇妙，人们叹为“古今胜迹”。历代名人墨客，到此游览，即兴题诗，落纸云烟。南宋朱熹诗云：

人道归云未足夸，洪阳石乳更含牙。
连环入梦难纡轸，回首西风日又斜。

严嵩曾赋《游洪阳洞》七律一首：

二仙何代隐岩阿，涧绿山青长薜萝。
尘世总经沧海变，丹丘长占水云多。
天台到拟逢桃实，石室归疑烂斧柯。
思入此中寻道侣，因牵俗累欲如何？

明、清各朝，题诗纪游，不胜枚举。地以名人游览题咏而益显，洪阳洞亦如此。

仙羊寨摩崖

翰　峰

在赣省边陲地区的铜鼓县温泉乡新塘村东南，层峦耸峻，秀丽异常。山间错落大小白石，遥望宛如银色羊群，民间趣传为仙人驱羊入山所化，故名曰“仙羊”。明代名将邓子龙率军经此，作《过仙羊寨》诗，刻于顶峰峭壁，迄今尚存。诗云：“仙羊已去何年许，我来重做仙羊主。呼仙酌酒仙童歌，仙花满壑仙禽语。一笑仙风八面生，仙霞化作千山雨。”署款：“万历七年丁丑冬邓子龙书。”楷书阴刻，字大40×25厘米。笔划遒劲可观。

鄱阳湖仙岛——鞋山

涂奠磐

鞋山在鄱阳湖中，北距湖口县城约九公里。一峰孤立，又名孤山，或作大姑山，与彭泽小姑山遥遥相对。长约五百米，宽约二百米，海拔九十米，南北走向，南高北低，形体像鞋，故名。民间传说是西王母坠落的绣鞋所化。山体由石灰岩构成。据地质学家李四光考察，是二百万年前第四纪冰川时期的遗迹。

鞋山四面临水，石壁峥嵘，秀丽奇特。春秋佳日，登临眺望，浩浩渺渺，水天一色。匡庐秀景，鄱阳风光，尽收眼帘，如入蓬莱仙境。历代骚人墨客来此游览者络绎不绝，孟浩然、白居易、李德裕、王安石、苏轼、黄庭坚、解缙、王士禛等都写下了千古传颂的诗文。还留有多处珍贵的石刻，如宋代书法家米芾的“云眠”，明代书法家米万钟的“丈人峰”、“鞋山洞”等。米万钟还编有《鞋山集》，惜已散佚。

鞋山扼鄱阳湖连接长江之要津，湖面辽阔，为千百年来的古战场。最著者，如元末朱元璋与陈友谅最后决战，清代太平军与湘军之战，抗战中爱国军民与日军展开的游击战等，都在鞋山上进行，留下了许多慷慨激昂，可歌可泣的历史故事。

鞋山最早的建筑，是唐代的孤山寺，后圮。南宋隆兴年间(1163—1164)建立一座宝塔；明万历八年(1580)僧德明又建宝陀寺。此外还有许多亭台楼阁，掩映于绿树丛中。梵铎声声，香烟缭绕；晨钟暮鼓，遥传天际。远近善男信女，来山朝香礼佛者，络绎不绝。后历经战乱，寺庙亭塔，悉遭破坏，成为废墟。1985 年，湖口县政府决定筹拨巨款，对鞋山进行开发，至今已完成停船码头、鞋山大门、一天门、望庐亭、云眠亭、宝塔、登山游览路等十四个项目，面貌焕然一新，成为令人向往的鄱阳湖仙岛。

文天祥像赞秘诗

欧阳球琳

南宋民族英雄文天祥有一幅画像，传为真容。乃清朝乾隆五十二年(1787)，曾任内阁大学士的翁方纲送给吉安县富田文氏后裔保存的。画像上书有长洲(今苏州)周顺昌于明代天启元年(1621)的题记和翁方纲的题跋。画轴写满历朝名人题咏。这些题咏从未见之史册，历代文氏子孙秘不外传。一次偶然的机会，我恳求珍藏画像的文宗垣老先生给我一观，文老先生带我进房内出示“真像”，但见像已模糊，题咏亦多磨损难辨，现将其中能看清的录之于后：

其一：明万历乙亥(1575)端日(正月初一)，太仆寺少卿曾直皋卿父顿首拜书：

先生之学，孔矩孟规。先生之身，天柱地维。孰尔灭性，孰尔劳生。吾成吾是，云尽水平。

其二：清康熙乙酉岁(1705)麦秋后学蓝岩敬书：

半夜风雷摇海岳，高秋霜露冷乾坤。
千年几许惊心事，知是先生正气存。

其三：清乾隆己未岁(1739)吉安郡守五台史官郑僖题：

取义成仁志亦坚，生平憾不见前贤。
欲瞻真像人如玉，更睹鸿文笔似椽。
天地有心存正气，子孙何计续遗篇。
只今片纸千金贵，贵在芳名万古传。

其四：清嘉庆□□大吕之望余肇康题：

勤王捧诏义难停，信有丹心照汗青。
开卷不禁三掩泣，江西我亦旧提刑。

蔡敬襄编纂《江西省城砖图谱》始末

王咨臣

金石学家蔡敬襄，也是一位文献学家。他所

创设的蔚挺图书馆不仅藏有金石拓本、图书，还藏有江西省城砖三百余块。

远在1928年时，南昌市长伍毓瑞鉴于人口日增，旧有城墙不仅无益防御，且于城乡交通发展有碍，于是尽行拆除，将城土填平护城濠沟，城砖击碎，修筑环城马路，可谓一举两得。蔡敬襄为了访求金石文物，无论寒暑风雨，沿城巡视于泥土中，竟发现汉镜及有文字城砖，自汉至清，采得三百余种。

砖上的铭文颇多，有修建年代干支，各府、州、县提调同知、照磨、主簿、通判、知县、县丞、司吏、推官、监官等姓名，又有地方总甲首、甲首、小甲、窑户、人户、造砖人夫。在书画家黎川陈季修的指导下，由义务女校学生用玉版宣纸摹拓四、五份，由蔡敬襄考证《江西通志》、《南昌府志》、《新建、南昌县志》、《江城名迹志》、《江城旧事》诸书，编辑成《江西省城砖图谱》一书。除自己感赋十绝纪事诗外，复携至庐山，请修水散原老人陈三立撰书一序。序赞蔡敬襄见识过人，辛勤收集，编为图志，城虽毁而图谱尚存，供人资考，可说是一件不朽的盛事。他有女儿蔡岱梅、女婿熊式一，均留学英国，遂以十分精美的图谱二巨册寄与熊式一，由他分别赠与伦敦图书馆及骆伍廷爵士。

1937年春季，在南昌举行浙赣铁路通车典礼暨土特产展览时，蔡敬襄特假江西省图书馆阅览室举办江西文献展览，将江西城砖、汉镜一

并展出，以供广大群众参观。

不久，芦沟桥燃起了抗战烽火，平沪沦陷，马当弃守，南昌告急，蔡敬襄将珍贵的江西地方志及善本图书碑帖，分装数十箱运往赣县山中保管。江西城砖三百余块，由于笨重无法运走，又不能让日寇毁掉，乃将它悉数埋于义务女校的地下。八年抗战胜利归来，女校地面建筑虽毁，地下城砖却安然无恙。1952 年冬季发掘出来，捐献给江西省文物管理委员会。

蔡敬襄于 1952 年冬季去世，所藏图书悉行捐给省图书馆，《江西省城砖图谱》却散佚未见，散原老人所写的序文，其文集亦不载，成了佚文。“文化大革命”破“四旧”时城砖全部被投入东湖水观音亭湖内，后几经打捞，踪迹杳然。现在欲睹《江西省城砖图谱》一书，只有到英国伦敦去访求了。

傅抱石微雕《出师表》印

章　琳

1982 年，我在江西省博物馆参观傅抱石先生《武侯出师表》印，高六十一毫米，长三十一毫米，宽二十八毫米。正面朱文“不求闻达”。一边微刻诸葛亮《前出师表》，全文六百三十四字。用放大镜看，笔画方圆流畅，刀法刚健峻拔，结构开朗宽阔，气韵潇洒俊逸。另一边款识："此武侯出师表印，癸酉冬旅日时所作，甲戌五月曾展观东京。为感天翼（熊式辉号天翼）主席佽值之德，谨献是石。小技恶劣，不足报万一也。乙亥八月晚傅抱石记。"1933年秋，傅先生留日，冬月刻此印。翌年5月，在东京举行"抱石个展"，极为轰动。郭沫若主持开幕式，我国驻日公使题《艺兼三绝》。日本文艺界名流横山大观、正木直彖、佐藤春夫、土屋文明、中村不折、何井仙郎等均到会参观；并在《朝日新闻》、《读卖新闻》撰文赞扬，称此篆刻为"精神雕刻"，誉傅先生是"支那篆刻神手"。傅回国后，将此印赠送江西省主席熊式辉，作公费派遣留日学习的谢礼。

面文"不求闻达"，风格独特，既不同于"浙派"，也异于"皖派"。书法、篆法，天趣入妙；章法、刀法，精美绝伦。傅先生治印，从秦汉入手，博综众途。严肃认真，有典有则，妙着频生。数十年治印千方，立足雅正，独开生面。傅先生说："画可不断临摹，而印必须独创。""摹印之学，首在雅正。"故能"尽精微，致广大"，奇崛多姿，干净利落，"刚而不板，劲而不怒"。潇洒飘逸，亦如其画。

清江猴仔包面

彭公天

清朝末年，清江一带在南昌府城挑担子卖馄饨者极多,差不多包办了这种生意。著名小说家张恨水在长篇小说《北雁南飞》中,开篇就引用了当时流传的一首歌谣:“临江府,清江县,三岁伢仔卖包面。”足见其业者之多。相传明末已随樟树药帮人员流传到各地,以江浙居多。

“包面”为樟树人对馄饨的俗称。民国年间,“猴仔包面”名闻遐迩。

“猴仔”是樟树一家包面店主人的绰号,大名孙发云(1893—1952)。早年在浙江绍兴其叔祖处习做包面，回乡后于芬溪街（樟树东十五里)立户，专营包面，维持八口之家。

笔者少年时就读于清江农校，曾品尝过正宗“猴仔包面”，以“皮薄而匀，馅纯而鲜，汤清而亮”三巧著称。据说，剁馅功夫是味道纯正之关键。而汤必用鲜猪骨汤，取其色清气纯，油味轻而香味浓。佐料用胡椒、香葱或芫荽，忌用生姜。酱油质量宜高，份量宜轻。

抗战时，江西《民国日报》、上海《大公报》、武汉《长江日报》都曾登载过有关“猴仔包面”的报道，或评介，或赞扬。1946年，国民党青年军中将军长胡素专程回乡品尝，赞曰：“名不虚传。”林藜先生前些年在台湾《自立晚报》上撰文说：“这二十多年来，我一直在天涯海角、山陬野岭到处流走奔忙，带走了往日的悲欢离合，更把一些大大小小的事情忘得一干二净。可是，只有樟树镇的馄饨，我直到今日，压根儿就没有忘怀过。”樟树去台人员黄祖荫的“怀乡诗”云：“清江包面担，猴仔最有名。梆子声声近，齑香枕上闻。”

美味的南丰水粉

彭君仁

“南丰蜜桔”驰名中外，殊不知还有一种特

别风味的美味小吃——“南丰水粉”(又称清汤粉),在这久负盛名的桔乡小城,同样有着诱人的魅力。

正宗的“南丰水粉”,其制作要求特高,必须选用一级特白晚米作原料,经过浸泡、磨粉、揉团、水煮、碓打、压榨成形等多道工序,制出的米粉才能达到又白又嫩,又软又韧,又细又长,用手能够绕成圈,热汤久泡不糊。

“南丰水粉”的汤水做法更为讲究。先将猪骨(也有用猪脚的)放入清水中连续熬煮数小时,待到骨上的残肉能够自然脱落时,才算熬透。这样熬出来的粉汤既鲜又浓,油而不腻。

吃时,先将在清水中漂洗过的米粉放在一种篾做的捞勺中,放入沸滚的开水锅里氽一氽,捞起漏去清水再倒入碗中,加入猪骨汤,铺上削骨肉或纯净精肉丝(片),撒上葱花姜末,随即趁热吃食,色、香、味俱佳,只要品尝过的人,都赞不绝口,回味无穷。

南丰人有天刚亮吃水粉的习俗。这时吃粉,属头道汤粉(即原汁汤),汤质优美,是最佳的吃粉时间。夏秋清晨,吃碗清汤粉,有去暑清热之功,冬春清晨吃碗清汤粉,有驱寒暖身之效。故南丰人乐此而成习了。

南丰县城的水粉店,始于何代,尚无考证,但在清至民国间就已经很普遍。那时县城四门各街都开设有粉店,也是各条街道每天开门营业最早的烟火行业。

民国时期，南丰县城十字街头有一赵姓开设了“五味馆”粉店，生意非常兴隆。由于汤粉质量好，吃粉的人多，总是供不应求。故此有句俗话说：“五味馆的粉，易吃难等。”可见一斑。1984年后，这家“五味馆”经过更新扩建，生意更是繁荣，游人食客无不慕名而至，一尝为快。

苕　子

匡一点

苕子是修水民间传统名菜。

以三份芋头或红薯煮熟和一份薯粉拌匀，揉搓成泥，将泥捏成桃子大小圆球，再将圆球捏成锅形，把事先准备好的馅心塞进去，将口捏拢，便成了一个个的生苕子。放进蒸笼蒸熟即可食。

苕子馅心有两种：将花生米、芝麻碾碎，拌糖和桂花干，叫“糖馅心”；用肉酱、冬笋或胡萝卜拌大蒜等佐料者，为“肉馅心”。用这两种馅心捏成的苕子分别叫“糖苕子”或“肉苕子”。

苕子起源于何时何地，无史实可考。据清末下衫朱举人《耦耕堂随笔》手稿记载，可上溯到西汉明帝刘庄所提倡的“元宵果”。苕子仿“元宵”而做。因其外表和内心与“元宵”相似，此说似不无道理。苕子一般只春节前后或贵客来临时才做,苕子席则是做喜事时接待上客才办。所谓“苕子席”就是除苕子外,其他菜肴均须“扣碗”或“扣盘”,跟办“三牲祭礼”差不多。

1984年,九江举办传统菜肴技术竞赛,修水山口谢师傅参赛做苕子,荣获一等奖,成为展销会上的俏货。遂使修水苕子名扬遐迩,越发引人注目。

莼菜岂止苏杭有

谢永华

松江鲈鱼,西湖莼菜,自古以来为江南名产。莼菜富含蛋白质,以及多种维生素和矿物质,营养价值很高,具有药用价值。宜老人,厚肠胃,和鱼做羹,能止呕吐,补大小肠虚气。还可解百毒,民间以此外敷治疗痈疽、疔疮等,功效显著。

莼菜还具观赏价值。初夏之际,莼菜长出水面,一大片一大片的,好似瑰丽的锦毯。远远望去,暗红色的小莼菜花犹如深邃的夜幕上闪烁的星星。微风拂过,朵朵小花随着碧波荡漾,摇曳生姿,令人流连。

地处江右边陲的赣南山区,也生有这种稀珍的植物。

赣县、于都、兴国三县接壤处,山峦起伏,村庄棋布。中有一村,现为兴国县社富乡黄岗村。村之东南有一山,平地突矗,陡峭险峻,名叫“莲花寨”,峰插云天,绝顶如台,中有一池,宽数亩,池水清澈,莫测其深。池中却长有莼菜,若非亲眼目睹,实难令人置信。盛夏之际,山下村民常以禾桶代舟,下池采菜。

黄岗村陈沣藻先生早年毕业于北京大学,后赴德国入柏林大学,研究农业,抗日战争期间在重庆中央大学任教。民国三十三年(1944)冬回家省亲。不久,日寇侵占赣州、泰和,著名植物学家胡先骕先生和胡昌麒教授,举家避难于黄岗村。他们三人对莲花寨的莼菜进行了考察,认为其色味与苏州太湖、杭州西湖的莼菜相比,均有过之而无不及。

中州绝品黄檗茶

蔡交云

“中州绝品旧闻名,瀹以寒泉雪色轻。怪得道人常不睡,一瓯唤醒梦魂清。”宋礼部尚书倪思游黄檗山时写下的赞茶诗篇,生动地描绘了黄檗茶的独特风味和历史盛名。

黄檗山在宜丰县境西北,山高林密,层峦叠峰,云腾雾绕,飞瀑鸣泉,清雅幽静,景色迷人,自古称佛门圣地,唐开成年间(836—840)希运禅师住持黄檗寺，弘扬禅宗新法，为佛教南宗五大宗之一的临济宗祖庭。

茶以寺名。当时寺僧圆户在黄檗寺旁栽种茶叶，加工出来的茶叶条求匀齐，茸毛溢露，香浓味醇，色碧汤青，用寺旁虎跑泉泡饮，饮后齿颊生津，沁人心肺，通体爽快，回味无穷。

宋元丰年间(1078—1085)，文学家苏辙谪任筠州(瑞州，今高安)税使时，专程到黄檗山寻踪探奇，并赋《茶花》云：

黄檗春芽大麦粗，倾山倒谷采无余。
只疑残卉阳和尽，尚有幽花霰雪初。
耿耿清香崖菊似，依依秀色岭梅如。
经冬结子犹堪种，一亩荒园试把锄。

宋朱彧《萍洲可谈》中说："江西瑞州黄檗茶，号绝品。"《瑞州府志》载，唐时黄檗茶曾为贡品。1984年和1985年，被连续评为江西传统名特产品，并参加了农牧渔业部在北京举办的全国农业展销会，深受好评。产品畅销北京、上海、广州、香港等地，并出口国外。

一品锅

周英才

安福县西部山区，每年除夕的团圆饭，家家户户都要食用同一种节日菜肴"一品锅"。即使

在最贫困的年月，平时可以清汤寡水，节俭度日，而在除夕这天，一品锅是少不得的。

一品锅是用猪肘子肉、全鸡和火腿和合焖蒸而成，原汁原味，香味浓醇，堪称佳肴。

一品锅的具体制作方法是：取铜盆或搪瓷脸盆一只，先将新鲜冬笋切片垫在盆底，放上一只三至五斤重的全猪肘，切成圆形，打上花刀，上铺火腿精肉片，然后将开膛去头足的全鸡覆罩于火腿肉上。四周空隙之处，填上煮熟去壳、用清油酥过的鸡蛋、香菇、姜片等配料，将脸盆放进锅里，上面盖好加水焖蒸。

焖蒸一品锅要始终保持旺火足气，蒸制中途不得揭开锅盖，以免泄气。锅内注意加水，以保证菜盆内能有足够的“自来汤”。一般蒸上四至五个小时即成。

此菜制作简便，原料易备。荤素均有，食之不腻，深受食客青睐。1930年，著名爱国人士“七君子”之一的王造时先生从美国威斯康辛大学学成回国，偕同夫人朱透芳回乡探亲，其亲戚特地做了一盆一品锅为他接风，王造时品尝后，大呼：“真美食也！”吩咐夫人学习制作方法。后来，王造时在上海一次家庭聚餐会上，特用一品锅招待在沪江西老乡李烈钧、邹韬奋、许德珩等人，众人食后大加赞许。笑谈王造时留美，不仅获得了政治学博士，也获得了烹饪学博士。王造时说：“美国人是做不出这么好的菜的，那是我刚从老家安福学来的。”

南城麻姑酒

邹自振

南城麻姑酒以香甜醇厚、浓郁粘唇闻名。清代大诗人施闰章作《麻姑酒歌》赞之:“石梁之上龙湫口,野店三家卖仙酒。蔗浆柔旨色黄菊,佳者泠泠如白玉。”其《愚山诗集》还有好几处提到麻姑酒,并购赠友人。

麻姑酒系采用南城县麻姑山泉水酿成。麻姑山乃我国名山之一,据《名山志》载:中国有三十六洞天,七十二福地,麻姑山名列第二十九洞天,第十福地。唐大历三年(768),大书法家颜真卿任抚州刺史时,曾到山游历,并写下了《麻姑仙坛记》,刻石立于麻姑庙仙坛侧。中唐著名诗人刘禹锡游麻姑山后发出了“曾游仙迹见丰碑,除却麻姑更有谁”的赞叹。自此山名益显。

麻姑酒为江西省传统名酒,古为贡酒。民间传说麻姑仙女用神功泉水酿制寿酒,献于瑶池蟠桃盛会,为西王母祝寿,故名“麻姑寿酒”。麻姑山酿酒之风始于宋代,酒之原料是采用当地盛产之“银珠米”(一种优质糯米,米粒饱满细长,玉色透亮),也称麻姑米。清同治五年(1866)《重刊麻姑山志》载:“本山所出,四月始稼,八月方收,宋时取以作贡。”又用本山神功泉水,和以

麦曲。酿成甜酒，再掺入适量上等白酒，然后加配麻姑山所采灵芝、首乌等二十余味中药材，并加冰糖若干，封缸蓄存三、五年。所以麻姑酒兼取封缸、大曲二酒之长，而具有冷霜甘甜、清脑提神、驱风健骨、却病延年之效。1915 年，麻姑酒在南洋国际赛酒会上曾荣获银牌奖。

1958 年春，谢觉哉往赣南视察工作，途经南城时，曾品尝麻姑酒，甚是赞赏。当县政府领导向他介绍说酒度在十六至十八度时，谢老更感兴趣。1959 年夏，在庐山召开的中共中央八届八中全会的酒宴上，谢老便热情地推荐饮用麻姑酒，因此名声更著。

浒湾书铺街

涂正付

金溪县浒湾镇书铺街，始于明朝中叶，全盛时期为明末清初。人赞“临川才子金溪书”，即指此也。

书铺街分前后两条，专门从事本版刻印书籍及画板、花板等工艺营业。两条街并列，由西向东延伸。前书铺街，长二百四十米，宽三米，有店铺及住屋三十一栋；后书铺街长一百七十米，宽三米，有店铺及住屋十六栋。

后书铺街之中有“楼仔巷”(更楼)，前后相通。街之东有乾隆壬寅年(1782)所建立的“聚墨"石碑,碑上横刻有"流芳千古"四字。碑前为"聚墨池",池大约二亩。池之上石堤隔池为二。上设有桥,名"会仙桥"。堤长约三百米,成丁字形,上通万寿官,中至黄家井,下接前书铺街。

前书铺街东石拱门上镌刻有"籍著中华"四个大字。街之中心总门为石砌"恒门"。后书铺街总门楼上道光癸卯年(1843)合坊同建的"藻丽琅嬛"石匾,巍然竖立。其他如"红杏山房"、"大文堂"、"漱石山房"等书坊的招牌,则镌刻在原址铺门之石匾上。另外,同治十一年(1872)四月所立于前书铺街口的"严禁淫词小说"的三块大石碑上列禁书二百余种, 诸如《水浒》、《西厢记》、《红楼梦》、《牡丹亭》、《今古奇观》等等,均属禁刻、禁印、禁读之列。最为光彩夺目的是《大文堂》正厅木柱上所刻的"琅函宝笈徵时瑞,玉检金泥广国华"等三副楹联,给我们留下当时书铺街鼎盛风光写照的美好回忆。

明末至清代,尤其是康熙、雍正、乾隆、嘉庆年间,是书铺街的鼎盛时期。此时有刻字匠逾六七百,加上印刷工人、铺栈掌柜、伙计等共约千余人。其中男匠居多, 亦有少数湖北远来的女匠。民国初年虽中落,但仍有刻字匠三百余。凡经史子集、蒙生读物、戏曲说唱、小说碑帖等各类书目,均能刊刻。旧版《词源》及民国初年商务印书馆和中华书局地理课本《江西省》一篇中的"浒湾"条目下,均有"浒湾男女善于刻字印书"的记载。由此可见浒湾书铺街确实闻名遐迩,其销路几乎遍及全国各重大城市。北京有新旧金溪会馆；南京状元境有金东书寓；长沙有三让书屋等等。

科学发明，日新月异，现在已经有了全自动化的大型印刷机。但是，木板印刷是我国古代四大发明之一，它标志着我国悠久的文化历史和中国人民的智慧。

天下钨都第一矿

黄楚裳

距大庾(今大余)县城西十五华里，有一山，挺拔秀出。宋徽宗崇宁(1102—1106)年间，在山中建西华古寺，始得名曰西华山。明孝宗弘治(1488—1505)年间，南安知府邓应仁，重修古刹，更为宏伟壮观。至清德宗光绪(1875—1908)年间，因年久失修，开始坍塌。有高僧妙圆和尚，再度化缘修葺，增其旧制，且置香客膳宿，善男信女，乃日见其多。

大庾县约于1880年前后，相继设立天主教堂和福音堂。1905年福音堂新来牧师，名邬亨利，德国人。住在县城小水门城楼旁福音堂宿舍。西人爱看日落，每当夕阳西下，邬亨利夫妇爱登楼观落日，进而对太阳隐处的西华山产生好感，萌发蹑屐登崖之念，因与西华古寺妙圆和

尚相识。

一日，邬亨利在西华古寺旁石涧中，拾回一批石块，有白、黄、灰、赭，轻重不一，以灰黑色特重，将其击碎，呈小小镜面，光辉照人，不知系何物。苦思昔日所学，猜测其可能是某矿物。因此常来捡拾，聚积不少。邬将这些石块砌成一花台。

1909年有欧洲教会组织的旅行团体共六人来到大庾。牧师在家中宴请他们，以尽东道主之谊。客人们一见花台上镶嵌着耀眼的黑色石块，殊为惊异，争问来由，次日即随邬亨利至西华山观察，认为是一种贵重有色金属，当即拾取样品，携回德国分析研究，经化验发现是稀有的钨锰铁矿，在世界矿史上是一重大发现。

邬亨利获此消息后，与妙圆和尚商议买下此山。妙圆不顾国家权益，以三百银圆私卖与福音堂。此后妙圆不知去向。牧师买得此山后不敢声张，只是暗中嘱咐教友每日上山捡回黑石，代价是一枚铜板一斤，秘密交与福音堂，然后偷运出关，取道香港，运回德国。

德国克虏伯工厂首先研究成功冶炼钨钢，制成钨钢火炮，百发而不裂，是为20世纪初最优良的军用火炮。1916年第一次世界大战，德国利用这种先进武器震撼了欧洲战场。战后乃知克虏伯大炮是用钨钢合金制成，而钨矿竟出自我国江西大庾西华山，全县官民闻讯哗然，百姓乃逼当地官员收回山权。交涉良久，以一千银圆巨款买回西华山。时在1917年。

1918年春，西华全山开放，百姓蜂拥上山，自由开采，麇集万人，名山古刹，顿成市场。赣粤港澳商人，开设桑田、大利、振兴公司收购钨砂，销售世界各地。从此，西华山钨矿蜚声中外。

马当要塞工程目击记

汪秉笔

马当山，位于彭泽县城下游十五公里处之长江南岸，山势巍峨，状如奔马，横枕大江，水势湍急，与上游之小孤山夹束江流，江面至此，顿形狭窄。临江怪石穿空，回风击浪。穷其绝顶，惟见雪浪千堆，怒涛拍岸。险峻若此，为古今兵家必争之地。

“七七”芦沟桥事变前，当时国民党当局，将江阴、马当、田家镇三处并列为长江三大要塞，并于1937年春开始修建马当要塞。工程设计与监督检查，由“马当要塞司令”王锡涛负责，具体施工，由“江西省江防委员会主任”李左襄负责。

工程进行期间，我省之南昌、九江、浮梁三个专区，及安徽之宿松、望江，湖北之黄梅等沿江各县，共征集民夫一万余名，采石运土，堆积如山。其它征集物资，竹木、石块、苎麻、钢材、水泥、石灰等项，成千成万吨运到现场。又上自九

江，下至安庆，长达三百余里的江面上，所有大小民船，一律无偿地被强行征用，共计千余艘，满载石块，浇上水泥，然后凿穿船底，沉入马当至下游华阳余家洲的水域之中。马当矶头至对岸之粮洲（今彭泽棉船乡）江面最窄处，则浇灌钢筋水泥墩柱，贯以铁链。所建炮台，共分三级，第一级在马当矶头，第二级在马当山腰，第三级在马当山顶，遗迹犹存，尚可寻索。

整个马当要塞工程，费时一年，耗资巨万，至于花费之人力物力，更难细数。特别当沉船之际，无数船民生计断绝，家破人亡，哀号惨哭之声，与江水同其鸣咽。我们的人民，做出如此巨大牺牲，却不能拒强敌于要塞之外，举世瞩目之马当要塞，终于民国二十八年（1939）六月二十六日轻易沦于日寇。

汪精卫的铁像

陈海澄

1940 年 3 月 30 日，大汉奸汪精卫在南京成立伪政府的消息传到景德镇，激起了各界人民的强烈反对。

景德镇有个“浮梁县各界民众抗敌后援会”的团体，决定铸造汪精卫的跪式铁像，像杭州西湖边岳飞坟前跪着的秦桧一样，永远受人唾骂。

铸造铁像，一要请人设计，二要收集废铁。设计者选定著名的雕塑艺人曾龙升，因他耳聋，也叫曾聋子。曾因雕塑孙中山瓷像而闻名国内外。他一听说要铸汪精卫的跪式铁像，二话没说，连夜画图，设计出模型，又参与浇铸工作。

征集废铁是分头进行的。有般若庵的化钱鼎炉。伍王庙被日机轰炸后，庙祝张道人也将大钟献给了后援会。还有许多学生，抬着集铁篮，穿街走巷地收集废铁。共收集废铁一千余斤。

经过短期紧张工作，一座与人体相仿的穿西装的汪精卫跪式铁像浇铸完毕，于1940年8月安放在繁华的厂前标准钟钟楼（今市政府大门口）前面，围观者络绎不绝，高骂汉奸卖国贼者有之，大吐唾沫者有之，青年人则将其可以卸下的头颅高高举起又重重摔下，观者无不拍手称快。

文廷式墓的发现

戴志明

文廷式（1856—1904），字芸阁，号道希，晚号纯常子，江西萍乡人。光绪十六年（1890）进士，官至翰林院侍读学士。戊戌变法前，支持康有为发起组织强学会，赞助光绪帝亲政，为光绪信任，聘为珍妃、瑾妃之师。因受慈禧太后嫉视，被革职永不叙用。戊戌变法失败后，几遭不测，失意忧愤，病逝萍乡。廷式工诗词，其词成就尤高，为清末大家。有《云起轩词钞》等传世。

文廷式墓的发现经过是这样的，1958 年大跃进期间，萍乡鸡冠山垦殖场大建猪场，发动群众搞材料。场党委书记杨贵福听说杨岐寺后凤形山上有座假墓，据说埋的是一条扫帚，但砖头却不少，于是组织职工去挖。刨开泥土，就见到朱红棺材。棺的两端各有两个大铁环。棺封严密，于是找来利斧劈开一看，却见是一具用绡裹着的尸体。撕开绡，尸着官服，红袍如新，脸白如生。有人用耙子勾着尸颈拉起，竟能屈曲成坐。辫长齐臀，后颈勾裂处肉呈红色。手握一只黑色杯子，人们认为这黑家伙值不了什么，随手往山下棘丛中一丢了事。再看脚端有两块长方形石碑，一块刻着“诰授中宪大夫晋封资政大夫日讲起居注官翰林院侍读学士文廷式”；一块载明死者生卒年月及生平事略。

杨贵福一看傻了眼，说道：“这不是文廷式的真墓吗！哪里是什么扫帚。”立即要职工将墓还原，不准动用其砖石。但尸体经过几小时曝光，已开始变色冒水了。这时才有人醒悟到那只黑杯子，可能不是寻常之物，于是又下去找寻，但遍觅无着，只好扫兴而归。

这是当年六月间我去那里检查林业生产时听说的。我们路过墓地时，还在墓旁拾到一块棺木碎片，一看是柏木的，香气扑鼻，我当即放入提包,带回家里收存。我们还将丢在墓旁的两块石碑抬入附近的寺内,请寺尼保管。并发现墓后有一块祁阳石墓碑,正楷刻着“诰授中宪大夫日讲起居注官翰林院侍读学士文公讳廷式府君之墓”,两边墓联是“青简尚新,宿草将列;鸥鸮东徙,松槚成行。”据说此联是葬后多年,由沈曾植撰写,并书有墓志墓表。此墓后经萍乡市文化局拨款维修,列入市文物保护单位。

据说文廷式的墓葬有多处, 而此墓貌似平常又在陡壁上,故疑为假。不期之掘,竟得其真。文廷式是光绪三十年(1904)八月二十四日在萍乡去世的,迄被掘时已五十多年了,其尸体竟未腐化。为了核实此事,1990 年 4 月当杨贵福同志来我处时,我又询问了他。他说确有此事,并为我重述了一遍。特记于此,以志其事。

后 记

江西省文史研究馆为编辑《新编文史笔记》丛书江西分册，于1991年3月成立编辑委员会。撰稿人员除本馆馆员外，并广泛邀请有关专家学者、文人耆宿写稿。经一年来征集整理，现已成编，定名为《豫章史撷》。

江西自古号称“物华天宝，人杰地灵”，才人代出。近百年来，江西发生了许多历史事件，涌现出许多历史人物。如李烈钧首举讨袁义旗，张勋拥清宣统复辟；八一起义于南昌，红旗飘扬在井冈；蒋介石之“围剿”苏区，蒋经国之起家赣南等等，以及毛泽东等老一辈无产阶级革命家，和许多著名民主人士，还有国民党不少要人，在江西都有重要的活动，对于当时及现在之中国政治产生了一定的甚或重大的影响。又如陈三立之同光诗体，胡先征之生物研究，傅抱石之艺术创作等等，在中国文学、科学、艺术等各方面皆卓有所成，甚或蜚声世界。变幻风云，纷纭世态，虽人事代谢，物换星移，然可传可记之事甚多。纵或一鳞半爪，集之成册，俾读者能从中吸取其有所为与有所不为，亦可为爱国主义教育起辅助作用，又岂仅闲情遣兴而已！

本书分目十二类，自清末民初至解放前夕之江西或国内遗闻轶事，以至山川名胜，风物民俗，皆择要记述，文笔生动，趣味盎然。所选各种稿件，以亲见、亲闻、亲历为主，面广意深，其他亦言而有徵。保存故实，务求存真去伪，芟芜取菁。因来稿踊跃，共一千一百余篇。惟限于篇幅，仅从中甄选一百十二篇。遗珠之憾，深致歉意。

编辑文史笔记，在本馆尚事属初创，纰缪之处，定所难免。尚祈读者、方家不吝指正为幸。

本书主编为鄢鹤龄，副主编魏文煊，编委廖宇阳、黎宁，工作人员高翔、林敏、谢勤。

编　者